공리주의

이 책의 번역은 정미화. 이화여자대학교 철학과를 졸업했다. 글밥 아카데미 수료 후 현재 바른번역 소속 번역가로 활동 중이다. 옮긴 책으로는 〈철학의 역사〉, 〈탄탄한 논리력〉, 〈엘라처럼〉, 〈최강의 식물식〉, 〈그녀가 달리는 완벽한 방법〉, 〈죄수 운동법〉, 〈주 2회 1일 1시간, 죽을 때까지 건강하게 살고 싶어서〉, 〈하루 800칼로리 초고속 다이어트〉 등이 있다.

공리주의
UTILITARIANISM (1863)

발행일 | 2022년 1월 15일 1판 1쇄

지은이 | 존 스튜어트 밀
번역 | 정미화
편집 | 마담쿠, 코디정
디자인 | 정우성
마케팅 | 우섭결

콜라보레이션 브랜드 | 블루템버린
패션 디자이너 | 김보민
표지 모델 | 김민경, 최영아, 신지현, Collin Dean Ratchford Harris,
         이상원, 김민주, 송설아, 최한빛, 장재현, 서영원, 성우빈
포토그래퍼 | 이승우

펴낸곳 | 이소노미아
       서울시 종로구 율곡로 2길7 서머셋팰리스 303호
       T | 010 2607 5523   F | 02-568-2502
       Contact | h.ku@isonomiabook.com
펴낸이 | 구명진

ISBN 979-11-90844-17-8 (03190)

좋은 책을 만드는 이소노미아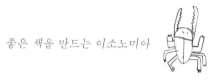

공리주의
UTILITARIANISM

1863

존 스튜어트 밀

John Stuart Mill

타인의 행복까지 생각하는 행복론

CONTENTS

번역에 대하여   011

공리주의   017
  제1장 개요   019
  제2장 공리주의란 무엇인가   033
  제3장 공리주의 도덕에서 최고 벌칙은 무엇인가   083
  제4장 공리의 원리는 어떻게 증명할 수 있는가   105
  제5장 정의와 공리의 관계에 관하여   123

편집후기와 편집자 해설   179

존 스튜어트 밀

1806~1873

스코틀랜드 출신의 영국 철학자이자 경제학자이며 유명한 저술가
인 제임스 밀의 6남매 중 장남으로 태어났다. 어린 밀은 남달랐고
명석했다. 아버지는 아들을 학교에 보내지 않고 직접 키웠다. 세
살에 그리스어를 배웠으며, 여덟 살에 이미 그리스어와 라틴어 고
전을 읽었다. 엄격하고 철저한 부친 슬하에서 십대 시절에 이미 대
부분의 학문을 익히고 여러 논문을 썼다. 영국 국교도가 되기 싫다
며 옥스퍼드 대학이나 케임브리지 대학에서 공부하기를 거절했다.
영국 동인도회사에서 35년간 근무하면서 연구와 저술을 이어나갔
다. 〈논리학 체계1843〉, 〈정치경제학의 원리1848〉, 〈자유론1859〉, 〈
공리주의1863〉, 〈여성의 종속1869〉, 〈사회주의1879〉 등의 책을 저술
했다. 인생의 전반부는 부친과 함께였으나 인생의 후반부는 인생
의 동반자인 해리어트 테일러 밀과 함께였다.

평생 약자의 자유와 여성의 인권을 옹호한 밀은 사랑하는 아내가
묻힌 프랑스 아비뇽에서 영원한 평화를 얻었다.

번역에 대하여

존 스튜어트 밀의 모든 저술은 퍼블릭 도메인이다. 이 책은 밀이 1861년 프레이저스 매거진에 세 차례에 걸쳐 기고한 원고를 파커 손 앤드 본 웨스트 스트랜드 출판사가 1863년 책으로 재발행한 출판물 〈공리주의〉를 저본으로 삼았다. 정미화 선생이 공들인 번역 성과를 편집자들이 확인하면서 뒷받침했다.

지혜는 널리 공유될수록 좋다. 인류의 정신세계사에 큰 영향을 미친 천재들의 지혜라면 더욱 그러하다. 누구든지 쉽게 그 지혜에 접근할 수 있기를 희망한다. 우리는 이런 희망을 언어와 시각으로 표현하고 싶었다. 우리가 지향하는 번역작업의 목표는 바로 그런 희망의 표현이다. 다른 언어로 쓰인 지혜가 현대 한국어로 표현되었을 때, 이 시대를 살아가는 한국인이라면 누구나 쉽게 그 지혜를 얻을 수 있는 번역, 이것이 우리가 실현하고 싶었던 이상이었다. 출판은 지혜의 세계에 독자들을 초대하는 연회이다. 이 연회는 언어로 만들어진다. 다른 언어를 사용하는 사람들은 특별한 어려움을 겪을 수밖에 없다. 초대장이 있어도 출발언어와 도착언어 사이에 있는 다리를 건너야 한다. 우리가 생각하는 번역은 초대장을 든 독자라면 누구나 이 다리를 쉽게 건널 수 있도록 도와주는 일이다. 그러므로 번역은 저자만을 생각한다거나, 이미 그 다리를 건너서 '우리'라는 의식을 공유하는 사람만을 생각해서는 안 된다. 알고 있는 지식에 도취되어 자기들끼리 소통하다 보면 그 지식 바깥에 있는 사람들이 타자화되고 타자화된 사람들은 자연스럽게 잊히고 만다. 지식의 독점은 타자의 배제와 거의 동시에 일어난다. 우리는 이런 오래된 문화에 동참하고 싶지 않았다. 지혜의 세계에 들어가는 초대장을 이제 처음 받아본 사람들이 어떻게 그 세계에 쉽게 들어갈 수 있을까? 저자의 언어만을 생각하지 않고 타자들이 쉽게 이쪽으로 건너올 수 있는 언어를 함께 고민해야 한다는 것이 우리의 관점이었다. 그리고 2018년 초판과 이번 전면 개정판에 모두 적용된 원칙이었다.

한국어는 서술어를 사용할 때 문어와 구어를 거의 완벽하게 구별한다. 영어 동사를 번역할 때 '이다(한다)'로도 번역할 수 있으며, '입니다(합니다)'로도 번역할 수 있다. 이것은 선택의 문제이지 옳고 그름의 문제가 아니다. 이 책을 번역하신 정미화 선생은 존 스튜어트 밀의 언어를 구어로 표현했다. 문어에 비해 구어가 타자를 더 많이, 더 직접적으로 염두에 둔다. 자연스럽게 문장이 쉬워진다. 또한 구어를 선택함으로써 저자와 타자(독자) 사이의 대화를 긴밀하게 유지할 수 있다. 죽은 단어는 자연스럽게 걸러지고 표현의 허영이 절제된다. 결국 타자를 초대하는 데 유리하다. 타자를 배려하는 이런 선택에도 불구하고 원문의 표현과 의미가 번역하는 과정에서 소실되지 않고 이 책에 잘 보존되어 있다. (이소노미아 편집부)

공리주의

제1장 개요

공인된 제1원리가 없기 때문에
윤리학은 인간의 실제 감정을 정화하는
역할을 제대로 못하고 있습니다.

옳고 그름이 현재와 같은 인류의 지식을 형성하는 데 가장 중요한 문제임에도 그 판단 기준에 대한 논쟁을 해결하려는 진전은 거의 이루어지지 못했습니다. 우리의 기대와는 달리 여전히 철학적 논의만 이어지는 퇴행적 상황이 계속되고 있습니다. 철학이 시작된 순간부터 최고선summum bonum, 즉 도덕의 기초가 무엇인지에 관한 생각은 이론적 사고에서 가장 중요한 문제로 여겨졌지요. 당대 최고의 지성들이 이 문제를 해결하려고 몰두했지만, 오히려 여러 분파나 학파로 갈라져서는 서로 치열한 논쟁을 벌여 왔습니다. 그로부터 이천 년이 넘는 세월이 흘렀건만, 여전히 똑같은 논의가 이어지는 가운데 철학자들 역시 상반된 주장을 펼치며 나뉘어져 있습니다. 현재의 사상가들이나 인류 전체가 여전히 의견 일치를 보지 못하는 상황은, 젊은 소크라테스가 늙은 프로타고라스[1]의 설교를 듣고 (만약 플라톤의 대화편이 두 사람 사이에 있었던 실제 대화에 근거했다면 말이지요) 이른바

---

[1] Protagoras 490(485)~415(410) BC. 고대 그리스의 대표적인 소피스트. "인간은 만물의 척도이다."라는 명언을 남겼다. 플라톤의 저작 〈프로타고라스〉에서 소크라테스와 프로타고라스는 덕에 관해 묻고 답한다.

소피스트들의 통속적인 도덕률에 대항하여 공리주의 이론을 주장했던 때와 크게 다를 바가 없습니다.[2]

사실 모든 학문의 제1원리들에서 비슷한 혼란과 불확실성과 불협화음이 나옵니다. 가장 확실한 학문으로 간주되는 수학도 예외가 아닙니다. 그렇다고 모든 학문의 결론에 대한 신뢰가 크게 손상되지는 않아요. 일반적으로 봤을 때 오히려 아무런 손상도 없지요. 이례적으로 보이겠지만, 어떤 학문의 세부 이론이 보통 그 학문의 제1원리라고 불리는 것에서 추론되는 건 아니기 때문이며, 그 타당성의 입증 또한 제1원리에 따라 결정되지는 않기 때문입니다. 그렇지 않다면 대수학만큼 근거가 빈약하거나 불충분한 결론을 추론하는 학문은 없을 겁니다. 대수학의 확실성은 보통 대수학의 기본 원리에서 도출되지는 않습니다. 대수학 분야의 가장 저명한 몇몇 학자가 정립한 대수학의 기본 원리들은 영국법만큼이나 허구로 가득 차 있고, 신학만큼이나 신비로운 내용으로 채워

---

[2] 밀은 칸트철학을 효과적으로 비판하면서 공리주의를 옹호하기 위해 소크라테스를 공리주의자로 규정하는 전략을 택한다.

저 있거든요. 어떤 학문의 제1원리로 받아들여지는 궁극의 진리들은 그 학문에서 익숙한 기본 개념들을 이용해서 형이상학으로 분석한 최종 결론입니다. 이런 진리들과 그 학문의 관계는 건물과 주춧돌의 관계가 아니라 나무와 뿌리의 관계이지요. 뿌리는 햇빛에 드러나지 않지만 자신의 임무를 변함없이 수행합니다. 그러나 학문에서 특정 진리가 일반 이론보다 중요하다고 해도 윤리나 법률과 같은 실용 학문에서는 반대 현상이 일어날 수 있습니다. 모든 행동은 어떤 목적을 추구합니다. 그렇기 때문에 행동의 규칙은 당연하게도 추구하는 목적에 따라 특성과 색깔이 정해집니다. 우리가 어떤 것을 추구할 때를 생각해 보세요. 추구하는 것에 대한 명료하고 정확한 개념 형성은 우리가 마지막에 기대하는 게 아니라 우리에게 가장 먼저 필요한 것이 아니겠습니까? 옳고 그름의 판정 기준은 무엇이 옳고 무엇이 그른지 규명하기 위한 수단이어야 하며, 이미 규명된 결과가 되어서는 안 된다고 사람들은 생각할 것입니다.

우리에게 옳고 그름을 구분하는 감각이나 본능 같은 타

고난 능력이 있다는 일반론에 기댄다고 해서 어려움[3]은 피할 수 없습니다. 그런 도덕 본능이 무엇인지 그 존재 자체가 논쟁의 대상이겠지요. 그뿐 아니라 그런 본능의 존재를 믿으면서 철학적 소양이 있다고 자처하는 사람이라면 우리의 다른 감각 기관이 실제 존재하는 빛이나 소리를 식별하듯이 도덕 본능이 특정 상황에서 무엇이 옳고 무엇이 그른지 구분한다는 생각을 포기하지 않겠지요. 그렇게 생각하면서 사상가라고 불릴 만한 자격을 갖춘 사람들의 온갖 견해에 따르면, 우리가 지니고 있는 도덕 능력은 단지 무엇이 도덕인지 판단할 때 필요한 일반 원리를 제공해 줄 뿐이라는 것입니다. 도덕 능력은 감각 능력의 일부가 아니라 이성의 한 부분이라는 견해이며, 그렇기 때문에 도덕을 구체적으로 생각하는 게 아니라 도덕에 관한 추상적인 이론을 도출하는 것에 기대를 걸어야 한다고 합니다.

---

[3] 도덕의 일차 원리가 무엇인지에 대해 명료한 답이 없어서 생기는 어려움.

귀납적 윤리학파[4]만큼이나 직관적 윤리학파[5]도 일반 법칙의 필연성을 강조하지요. 두 학파 모두 도덕이란 어떤 도덕법률이 있어 그 도덕법률을 개별 사례에 적용하는 문제라는 데 의견이 일치합니다. 개개의 행위가 도덕적인지 직접 이해하려는 문제는 아니지요. 크게 봤을 때 동일한 도덕법률을 인정하지만, 도덕법률의 근거나 권위의 유래에 대해서는 의견을 달리 합니다. 직관적 윤리학파에 따르면 도덕 원리는 선천적으로 자명합니다. 그렇기 때문에 선천적인 속성과 관련된 용어의 의미에 대한 이해 외에 어떤 동의를 이끌어낼 필요는 없다고 합니다. 이에 반해 귀납적 윤리학파에서는 참과 거짓을 구별하는 일과 마찬가지로 옳고 그름을 판단하는 일은 관찰과 경험을 통해 결정되는 문제라고 생각한답니다. 하지만 도덕이 원리들로부터 추론되어야 한다는 점은 두 학파 모두 같습니다. 그래서 귀납적 윤리학파만큼이나 직

---

[4] 경험을 통해 행위의 옳고 그름을 판단하려는 학파. 대체로 경험주의를 지칭한다.

[5] 이성의 명령에 기반하여 행위의 도덕성을 판단하려는 학파이며, 밀이 이 책을 통해 비판하려는 칸트 학파를 지칭한다.

관적 윤리학파도 도덕에 관한 학문이 있다고 강력하게
주장합니다. 그럼에도 불구하고 두 학파 모두 이 학문
의 전제 역할을 하게 되는 선천적 원리의 내용을 정리하
려는 시도는 하지 않습니다. 더욱이 다양한 원리를 하나
의 제1원리나 의무의 보편 근거로 간단하게 정리하려는
어떠한 노력도 하지 않습니다. 이 두 학파는 평범한 도
덕 계율을 경험에 앞서 주어진 권위로 가정하거나, 준칙
[6] 자체보다 훨씬 권위가 떨어지는 어떤 일반론[7]을 준칙
의 보편적 기초로 삼습니다. 그러다 보니 대중의 지지를
전혀 얻지 못했습니다. 그러나 두 학파의 주장을 뒷받침
하기 위해서는 양쪽 모두 도덕의 뿌리가 되는 하나의 근
본 원리나 법칙이 있어야 하지요. 만약 그런 근본 원리

---

[6] Maxim. 개인의 행위 규범을 의미한다. '좌우
명'이라는 단어로 이해하면 대체로 맞다.

[7] 칸트의 '정언명령Categorical Imperative'을
지칭한다. 즉, "네 준칙이 동시에 보편적인 법
률이 되도록 네가 의욕할 수 있는 준칙에 따
라서만 행동하라."라는 형식 문장을 뜻한다.
칸트는 도덕법률이란 어떤 상황에서도 누구
에게나 적용될 수 있는 법률로 이해했으므로
개인의 성향과 경험을 초월하는 형식론적 의
무론을 주창했다.

나 법칙이 여러 개라면 그들 사이에 우선순위를 정해주는 확고한 질서가 있어야 합니다. 그리고 다양한 원칙들이 서로 충돌할 때 우선순위를 결정하는 규칙이나 원리는 자명해야 합니다.

이런 결함[8]의 부작용이 실제 얼마나 완화되었는지, 또는 궁극적인 기준에 대한 뚜렷한 인식이 없는 탓에 인류의 도덕 신념이 얼마나 손상되었는지 혹은 얼마나 불확실해졌는지 조사하려면 과거와 현재의 윤리 이론을 완벽하게 조사하고 비판해야겠지요. 그러나 우리가 알아채지 못하는 어떤 기준이 있고, 그 기준의 암묵적인 영향 덕분에 이들 도덕 신념이 일관성을 얻었다거나 안정적인 입지를 구축했다는 점을 증명하는 일은 어렵지 않습니다. 공인된 제1원리가 없기 때문에 윤리학은 인간의 실제 감정을 정화하는 역할을 제대로 못하고 있습니다만, 그럼에도 불구하고 호감과 반감이라는 인간의 감정은 자기 행복에 영향을 미치는 것으로 크게 간주되

---

[8] 종래의 도덕철학이 도덕의 제1원리가 무엇인지 그 내용을 정리하지 못했다는 결함.

기 때문에 벤담[9]이 훗날 최대 행복의 원리the great happiness principle라고 일컬은 공리의 원리the principle of utility는 정작 그것을 가장 조롱하며 거부했던 사람들의 도덕에 관한 학설을 형성하는 데 큰 역할을 했습니다. 왜냐하면 도덕의 세부 내용을 살펴볼 때 대체로 행동이 행복에 미치는 영향이야말로 도덕에서 가장 중요한 내용이자 우선적으로 다뤄야 하기 때문입니다. 그리고 그걸 인정하지 않는 학파는 없지요. 공리의 원리가 도덕의 기본 원리이자 도덕 의무의 근본이 된다는 사실을 인정하기 주저하더라도 말입니다. 나는 여기서 한발 더 나아가 그런 논쟁이 필요하다고 생각하는 모든 아프리오리[10] 도덕주의자들

---

[9] Jeremy Bentham 1748~1832. 영국의 변호사, 철학자, 사회개혁가. 공리주의 사상의 기초를 제시했다. 밀의 아버지인 제임스 밀과 친밀했으며, 존 스튜어트 밀에게 큰 영향을 미쳤다. 흔히 벤담의 공리주의를 '양적 공리주의'로 일컫는다.

[10] *a priori*. 경험으로 영향을 받지 않는 '선천적인' 혹은 '선험적인'이라는 뜻. 칸트 철학을 나타내는 대표적인 단어이다. 결국 '아프리오리 도덕주의자들'은 칸트와 칸트주의자를 지칭한다.

에게 공리주의 논증을 피할 수 없다는 점을 말해야겠습니다. 이런 도덕주의자들에 대한 비판이 내 현재 목표는 아닙니다만, 자세한 설명을 위해 그들 가운데 가장 걸출한 사상가로 꼽히는 칸트[11]가 쓴 체계적인 논저 〈도덕 형이상학Metaphysics of Ethics〉을 언급하지 않을 수 없네요. 철학사에 길이 남을 획기적인 사상 체계를 주장한 칸트는 이 저서에서 도덕 의무의 유래와 근거가 되는 보편적인 기본 원리를 제시합니다. 그 내용은 이렇습니다. '네 행동의 준칙이 모든 이성적인 존재에게 하나의 법률로 받아들여질 수 있도록 그렇게 행동하라.'

하지만 이 계율에서 실제적인 도덕 의무를 연역해 내려

---

[11] Immanuel Kant 1724~1804. 독일의 철학자. 〈순수이성 비판〉, 〈실천이상비판〉, 〈판단력비판〉, 〈도덕 형이상학〉, 〈영원한 평화를 위하여〉 등을 저술했다. 칸트의 도덕철학은 공리주의의 원리를 철저하게 부정하지만, 밀은 이 책 전체에 걸쳐서 칸트철학을 논박한다. 밀과 달리 경험과 행위의 결과로 도덕을 평가할 수 없다고 주장하면서, 행복론에 대한 칸트의 비판을 담은 대표적인 저술로는 〈도덕 형이상학의 기초[1785]〉가 있다.

는 칸트의 시도는 성공하지 못합니다. 모든 이성적 존재가 정말 터무니없는 비도덕적인 행위 규칙을 받아들이는 데 어떤 모순이 있는지를, 그런 행위에 어떤 논리적인 불가능성이 있는지(물리적으로 불가능한 일까지는 아니더라도 말이지요)를 기이하리만치 증명하지 못하더군요. 칸트가 증명한 것은 도덕 규칙이 아닌 규칙을 보편적으로 받아들인 결과들을 보여줌으로써 어떤 이도 그런 행동을 하지 않으리라는 점뿐입니다.

여기서 나는 더 이상 다른 이론에 대한 논의는 하지 않고, 공리주의 이론이나 행복론을 이해하고 평가하며 또 입증하는 데 집중하려고 합니다. 이런 작업은 보통 사람들이 흔히 생각하는 용어의 의미를 통해서는 입증할 수 없습니다. 궁극의 목적에 관한 문제는 직접 증명될 수 없으니까요. 어떤 것을 선하다고 증명하려면, 그것이 무조건적으로 선한 것을 이루려는 수단이 되어야 함을 보여줘야 합니다. 의술은 건강에 도움을 주기 때문에 선이라는 것이 증명되지요. 하지만 건강이 선이라는 것은 어떻게 증명할 수 있을까요? 음악은 무엇보다도 즐거움을 주기 때문에 선한 것으로 밝혀집니다. 그렇다면 즐거움이 선이라는 것을 어떻게 증명할 수 있을까요? 그 자체로 선한 것을 모두 포함하는 포괄적인 표현 형식이 있고, 그 나머지는 목적이 아닌 수단으로 선한 것이라고 주장하는 경우, 그런 표현 형식을 받아들이거나 아니면 거부하면 되겠지요. 증명을 통해 평범하게 이해할 수 있는 문제는 아닙니다. 하지만 맹목적인 충동이나 자의적인 선택으로 도덕 형식을 인정한다거나 거부할 문제도 아닙니다. 이 문제는 다른 철학적인 논쟁에서도 그랬던 것처럼 증명을 받기는 해야 합니다. 증명이라는 말은 그만큼 큰 의미가 있으니까요. 이 주제는 이성의 능력으로 이해할 수 있는 문제이지, 단지 직관으로 다뤄서도 안 되지요. 우리 지성이 공리주의 이론에 동의할지 아니면 반대할지, 여러 사항을 고려할 것이며, 이 과정은 증명과 다를 바 없습니다.

우리는 이제 그런 고려 사항에 어떤 속성이 있으며 어떤 식으로 개별 사례에 적용이 되는지 살펴보고, 그에 따라 공리주의 표현 형식을 받아들이거나 거부하는 데 어떤 이성적인 근거를 제시할 수 있는지 생각해 보겠습니다. 하지만 받아들일지 거부할지 정하려면 어떤 예비 조건이 필요한데, 즉 공리주의 표현 형식이 대체 무엇인지 정확하게 이해하고 있어야 합니다. 나는 사람들이 공리주의를 받아들이지 못하는 가장 큰 이유는 사람들이 평범하게 생각하는 공리주의의 의미가 아주 불완전하기 때문이라고 생각합니다. 공리주의에 관한 저속한 오해 몇 가지만 풀 수 있어도 이 문제는 훨씬 단순해지고 어려움도 대부분 해소됩니다. 그러므로 공리주의 기준을 납득할 수 있게 하는 철학적 근거를 살펴보기 전에, 공리주의 이론 자체에 대해 몇 가지 설명을 하려고 합니다. 공리주의가 무엇인지 더욱 분명하게 설명함으로써, 그것이 다른 이론과 어떻게 구분되며, 공리주의에 대한 반대가 실제로는 그 의미를 오해해서 비롯되었다거나 혹은 그런 오해와 밀접한 관계가 있음을 보여줄 생각입니다. 이런 준비 과정을 마치고 난 뒤에 철학 이론으로서 공리주의의 문제를 살펴보는 데 집중하겠습니다.

제2장
공리주의란 무엇인가?

행복이란 고통의 부재와 쾌락을 의미하고
불행은 쾌락의 결핍과 고통을 의미합니다.

공리 또는 최대 행복의 원리를
도덕의 기초로 받아들이는 이 이론은
행복을 증진시킬수록 옳은 행동이고,
행복과 반대되는 상황을 초래할수록
잘못된 행동이라고 주장합니다.

공리utility를 옳고 그름을 판단하는 기준이라고 믿는 사람들은 오히려 공리라는 용어를 즐거움[12]과는 반대되는 뜻으로 좁고 통속적인 의미로만 사용한다는 주장이 있습니다. 그런 주장을 하는 무지한 사람들의 말은 대충 듣고 넘기면 그만이지요. 그렇지만 정반대로 모든 원인을 쾌락의 탓으로 돌리는 건 훨씬 더 터무니없습니다. 그렇게 어처구니없이 공리주의를 오해하는 사람들과 철학적 관점에서 공리주의를 반대하는 사람들을 잠깐이라도 혼동한다면 당연히 실례가 되겠지요. 더구나 쾌락을 가장 저속한 형태로 언급하는 것은 공리주의를 향해 흔히 가하는 또 다른 비난이기도 합니다. 어떤 유능한 작가[13]가 날카롭게 지적했더군요. 이런 식으로 공리주의를 오해한 사람들이 공리주의를 성토하기를, "공리라는 말이 쾌락이라는 말보다 앞에 오면 얼토당토않게 무미건조해지며, 반대로 쾌락이라는 말을 공리라는 말보다 앞

---

[12] 이 책에서 'pleasure'는 {쾌락, 즐거움}으로 번역했다. 주로 '쾌락'이라는 단어로 번역하되 문맥과 메시지의 자연스러움을 위해 이따금 '즐거움'이라는 단어를 선택했다.

[14] 이 사람이 누구인지는 밝혀지지 않았다.

세우면 너무나 제멋대로에 관능적"이 된다고 말입니다.

이 문제를 조금이라도 아는 사람이라면, 에피쿠로스[14]부터 벤담에 이르기까지 공리주의 이론을 주장했던 모든 사상가는 공리라는 말을 쾌락과 상반되는 것이 아니라 고통으로부터 벗어나는 것을 포함하여 쾌락 그 자체를 의미했다는 사실을 압니다. 또한 유용한 것을 기분 좋은

------

[14] Epicurus 341~270 BC. 고대 그리스 철학자, 에피쿠로스학파의 시조. 에피쿠로스는 쾌락을 선으로 고통을 악으로 여겼으므로 쾌락주의자로 회자되었고, 금욕을 중시하는 스토아학파는 이런 에피쿠로스학파를 적대시했다. 그러나 그들이 말하는 쾌락은 방탕과 환락과는 거리가 멀었다. 두려움에서 벗어난 마음의 평안을 뜻하는 아타락시아ataraxia의 행복하고 평온한 삶을 철학의 목적으로 삼았다. 또한 에피쿠로스는 우정을 중시했으며 아테네에 '정원kepos'이라고 불리는 학원을 세우고 그곳에서 사람들과 공동생활을 했다. 이 정원의 문에 씌어있는 다음과 같은 글귀가 세네카의 편지를 통해 오늘날까지 전해진다.
"방랑자여, 여기는 그대가 머물 좋은 곳. 이곳에서는 즐거움이 우리의 가장 높은 선이라오."

것이나 장식적인 것과는 반대되는 개념으로 생각하기
보다는 오히려 기분 좋고 장식적인 것이 바로 유용한 것
이라는 점을 줄곧 밝혔음도 알고 있지요.

하지만 일반 대중은 아까 말했던 천박한 오해에 끊임없
이 빠져듭니다. 신문과 잡지에 기고하는 작가들뿐 아니
라 무게 잡고 허세 부리는 저자들도 마찬가지지요. 공
리주의라는 말만 들었을 뿐 그 외에는 아무것도 모르면
서 아름다움이며 장식이며 혹은 재미 같은 쾌락의 몇몇
형태를 거부하거나 무시하는 것이 공리주의라며 습관
처럼 말합니다. 공리주의라는 말은 이처럼 멋모르고 하
는 비난의 의미로만 잘못 사용되는 게 아니라 간혹 칭찬
의 의미로도 잘못 사용되기도 하지요. 하찮고 순간순간
의 단순한 쾌락에 비하자면 공리라는 말이 더 우월하다
고 말입니다. 이렇게 왜곡된 용법이 널리 알려지게 되면
서 새로운 세대도 공리주의라는 말의 의미를 그런 식으
로 이해하고 있습니다. 공리주의라는 단어를 소개하기
는 했지만 구별 가능한 명칭으로 그 단어를 오랫동안 사
용하지 않았던 사람들이라면 이 명칭을 다시 사용해야
할 필요성을 당연 느낄 터입니다. 그렇게 함으로써 공리
주의라는 개념이 완전히 변질되는 것을 막기를 바라는

것이겠지요.[A]

밀 주석 A: 내가 공리주의라는 말을 처음 사용한 사람이라고 생각하는 데에는 그럴 만한 이유가 있습니다. 내가 이 말을 만들어 낸 것은 아니지요. 골트[15] 씨의 저서 〈교구 연대기Annals of the Pariah〉에서 무심코 쓴 표현에서 빌려왔습니다. 골트 씨와 그 주변 사람들은 이 말을 몇 년 동안 일종의 명칭으로 사용하다가 특정 분파를 나타내는 상징이나 좌우명 비슷한 느낌이 싫어져서 더 이상 사용하지 않았답니다. 하지만 일련의 견해에 대한 명칭이 아니라 어떤 하나의 견해에 대한 명칭으로서는 공리주의라는 말이 언어 상의 부족함을 보완해 주고, 많은 경우 지루하게 둘러대며 말하는 것을 피하는 편리함을 제공해 줍니다. 그건 하나의 기준으로서 공리를 승인하겠다는 것이지 공리를 적용할 때의 특정한 방법을 나타내는 것은 아닙니다.

공리 또는 최대 행복의 원리를 도덕의 기초로 받아들이는 이 이론은 행복을 증진시킬수록 옳은 행동이고, 행복과 반대되는 상황을 초래할수록 잘못된 행동이라고 주

---

[15] John Galt 1779~1839. 스코틀랜드 태생의 소설가이자 식민지 무역을 한 사업가. 산업혁명을 다루는 최초의 소설을 썼다고 전해진다. 1821년 〈교구 연대기〉를 썼다.

장합니다. 행복이란 고통의 부재와 쾌락을 의미하고, 불행은 쾌락의 결핍과 고통을 의미합니다. 이 이론이 세워놓은 도덕적 기준을 분명하게 설명하려면 훨씬 더 많은 것을 언급해야 합니다. 특히 고통과 쾌락의 개념에 무엇이 포함되며, 그 범위가 어디까지인지에 대해서 말이지요. 하지만 이런 보충 설명들도 이 도덕 이론의 근거가 되는 인생론에 영향을 미치지 않습니다. 즉, 쾌락과 고통으로부터 벗어난 상태가 목적으로서 유일하게 바람직하며, 바람직한 모든 것은(다른 이론과 마찬가지로 공리주의 이론에서도 바람직한 것은 무수히 많습니다만) 그 자체에 내재된 쾌락 때문이거나 쾌락을 장려하고 고통을 차단하는 수단이기 때문에 바람직합니다.

하지만 이런 인생론은 많은 사람, 그중에서도 감정과 목적을 가장 존중할 만한 것으로 생각하는 일부 사람들에게 뿌리 깊은 반감을 불러일으킵니다. 인생에서 (그들이 말하는 것처럼) 쾌락보다 더 높은 목적은 없다는 생각을, 즉 욕망을 품고 추구하는 대상으로서 쾌락보다 더 좋고 고상한 것은 없다는 생각을 아주 천박하고 비굴하다고 비난하더군요. 그 옛날 에피쿠로스학파 사람들에게 모욕적으로 비유한 돼지에게나 어울리는 이론이라고 치부합니다. 오늘날 그런 인생론을 지지하는 사람들도 마찬가지로 독일, 프랑스, 영국의 공격자들로부터 그렇게 비유되는 일이 종종 있지요. 옛날에 비해 점잖아졌습니다만.

이런 공격을 받았을 때 에피쿠로스학파 사람들은 인간 본성을 비하해서 설명하는 쪽은 그들 자신이 아니라 자신들을 비난하는 쪽이라고 줄곧 응수했습니다. 에피쿠로스학파를 비난하는 사람들이 인간을 돼지가 누릴 수 있는 쾌락 이상의 즐거움을 누릴 수 없는 존재로 가정하기 때문이라는 반론이지요. 인간이 돼지와 같다는 가정이 옳다면 에피쿠로스학파에 대한 비난을 반박할 수는 없었겠고, 무엇보다 나쁜 비방도 아니었겠지요. 인간이나 돼지나 쾌락의 원천이 똑같다면 인간에게 참 좋은 인생의 규칙은 돼지에게도 참 좋을 테니까요.

에피쿠로스학파 식의 삶을 짐승의 삶과 비교하는 것이 모욕적으로 느껴지는 이유는 다름 아니라 동물의 쾌락으로는 인간의 행복 개념을 충족하지 못하기 때문입니다. 인간에게는 동물적인 욕정보다 훨씬 고귀한 능력이 있고, 일단 그런 능력을 자각한다면 그 능력이 충족되지 못하는 경우 행복이라고 생각하지 않습니다.

사실 나는 에피쿠로스학파 사람들이 공리주의 원리에서 자신들의 결론을 도출해 내는 과정에 아무런 결함이 없다고 생각하지는 않습니다. 이 과정을 제대로 하려면 기독교 요소도 생각해야 하고 스토아학파[16]의 여러 요소도 감안해야 하지요. 에피쿠로스학파 식 인생론은 그저 자극적인 쾌락보다 지적인 쾌락, 감정과 상상 속의 즐거움, 도덕 감정의 쾌락에 훨씬 더 높은 가치를 부여합

[16] 카티온의 제논(335~263 BC)이 창시한 고대 그리스의 학파로 알려졌다. 제논이 고대 아테네의 광장 북쪽 건물 앞 기둥이 세워진 현관을 지칭한 스토아 포이킬레(stoa poikile)에서 강의했기 때문에 스토아학파로 불리게 됐다. 스토아학파의 철학은 금욕주의와 엄격한 윤리였으며, 덕virtue만이 유일한 선이며, 덕을 얻어 어떤 정념에도 흔들리지 않는 아파테이아apatheia의 경지에 이르는 것을 목표로 삼았다. 그리스뿐만 아니라 로마에서도 한 시대를 풍미한 학파였으며, 창시자인 제논 외에도 세네카, 에픽테토스, 마르쿠스 아우렐리우스 등이 있다. 에피쿠로스학파의 전통을 이은 밀은 이 책을 통해 칸트를 스토아학파의 계승자로 간주하면서 비판한다.

니다. 그런데 대부분의 공리주의 학자가 육체의 쾌락보다 정신의 쾌락이 더 우월함을 강조하는 이유는 쾌락 안에 들어 있는 고유한 속성이 더 오래 지속되고 안전하며 돈도 안 든다는 등의 상황상의 이점이 있기 때문입니다. 그리고 공리주의자들은 사례를 들어 하나하나 충분히 증명했습니다. 하지만 다르게 생각할 수도 있었겠지요. 이를테면 나무랄 데 없는 일관성을 띤 더 높은 근거를 제시할 수도 있었을 겁니다. 어떤 종류의 쾌락은 다른 종류의 쾌락보다 더 바람직하고 더 가치가 있다는 사실을 인정한다고 해서 공리주의의 원리와 상충되는 건 전혀 아니지요. 다른 모든 것을 평가할 때에는 양뿐만 아니라 질도 고려하면서 평가하는 사람들이 쾌락을 평가할 때에는 오로지 양으로만 평가하려는 듯하니 우스꽝스럽지 않습니까?

쾌락의 질적 차이가 무슨 의미인지, 또는 양을 생각하지 않고 그저 한 개의 즐거움만을 생각할 때 어떤 하나의 쾌락이 다른 쾌락보다 더 가치 있도록 만드는 게 무엇인지 묻는다면, 내가 내놓을 수 있는 답은 하나뿐입니다. 두 가지 쾌락 중에서 양쪽을 다 경험한 사람들 모두가 혹은 거의 대다수가 더 선호하는 쾌락이 있다면 그것이야말로 더 바람직한 쾌락이라는 답입니다. 이는 어떤 쾌락을 선택해야 한다는 도덕 의무에서 비롯되는 감정과는 무관한 일입니다. 이 두 가지 쾌락에 대해 충분히 알고 있는 사람들이 더 큰 불만족이 따름을 알면서도 어느 한쪽을 훨씬 더 선호하고, 나머지 한쪽이 줄 수 있는 쾌락의 양 때문에 처음에 선호했던 쪽을 포기하지 않는다면, 우리는 그렇게 취한 기쁨이 두 쾌락을 비교하는 데 질적으로 우위에 있다고 생각해도 무방할 터입니다. 양적인 우세를 사소하게 여길 정도이지요.

두 가지 쾌락을 모두 잘 알고, 똑같이 통찰하고 즐길 수 있는 사람들은 자신이 가진 탁월한 능력을 발휘하도록 하는 존재의 방식을 훨씬 더 선호하겠지요. 이런 사실에는 의문의 여지가 없습니다. 짐승이 누리는 쾌락을 마음껏 즐길 수 있게 해준다고 동물이 되겠다고 할 사람은 없으니까요. 바보, 멍청이, 불량배가 자기 팔자에 더 이롭고 만족하며 산다고 제아무리 설득해도 지성이 있는 사람이 바보가 되지는 않습니다. 교양이 있는 사람이 무식한 사람이 된다거나, 다정다감하고 양심적인 사람이 이기적이고 비열한 사람이 되지도 않습니다. 그런 사람들은 바보, 멍청이, 불량배와 마찬가지로 그들이 지니고 있는 이런저런 욕망을 가장 완벽하게 충족시켜 준다는 이유만으로 그런 사람들보다 더 많이 소유하고 있는 것을 포기하지는 않겠지요. 만약 포기하겠다고 생각한다면 그건 아주 극도로 불행에 빠진 상황일 겝니다. 그 상황에서 벗어나기 위해 자기 눈에는 바람직하지 않게 보일지라도 아무것이나 붙잡고 운명을 바꿔보려는 것이겠지요. 열등한 사람에 비해 능력이 뛰어난 사람일수록 행복해지기 위해 더 많은 게 필요하고, 고통에 더 예민하게 반응하며, 분명 더 많은 이유로 쉽사리 고통에 빠집니다. 하지만 이런 불리함에도 불구하고 능력이 뛰어난 사람은 결코 스스로 열등한 존재로 느끼는 상황에 빠져들고 싶어 하지는 않습니다.

이런 거리낌에 대해 우리 입장에서 여러 가지로 설명해 볼 수 있습니다. 인류가 느낄 수 있는 가장 훌륭한 감정과 가장 저급한 감정에 마구잡이로 붙여지는 이름인 자존심pride을 들 수 있을지도 모릅니다. 그걸 자유와 개인의 자립에 대한 사랑으로 돌릴 수도 있겠는데, 스토아학파는 열등한 존재의 삶을 거부하도록 가르치는 가장 효과적인 방법은 자유와 자립에 대한 사랑에 호소하는 것이라고 생각했습니다. 우리는 권력에 대한 사랑이나 홍

분 상태에 대한 애정으로 돌릴 수도 있지요. 이 두 가지 모두 열등한 존재로 느끼는 상황에 빠지지 않도록 하는 데 실제로 역할을 합니다. 하지만 가장 적합한 명칭은 존엄dignity에 대한 분별력이지요. 인간이라면 누구나 어떤 형태로든 존엄에 대한 분별력을 갖고 있습니다. 전부 다 그렇지는 않지만 어느 정도는 개인의 능력에 비례하며, 존엄은 그 힘이 강한 사람일수록 행복을 이루는 필수 요소가 됩니다. 존엄을 해치는 일이라면 일시적인 예외를 제외하고는 욕망의 대상이 될 수는 없습니다.

이처럼 더 나은 쾌락을 선호하면 행복을 잃는다고 생각하는 사람, 다시 말해 비슷한 상황이라면 탁월한 사람이 열등한 사람보다 더 행복하지는 못하다고 생각하는 사람은 행복과 만족이라는 전혀 다른 두 개념을 혼동하고 있는 것입니다. 낮은 수준에서 기쁨을 느낄 수 있는 사람이라면 만족할 수 있는 기회도 많아진다는 건 당연한 이야기지요. 그리고 탁월한 사람은 세상사 그렇듯 자신이 찾을 수 있는 행복도 항상 불완전하다고 느끼겠지요. 하지만 감내할 수 있는 정도라면 그 불완전함을 인내하는 법을 배울 수는 있습니다. 불완전함이 좋다고 느끼지는 못하기 때문에 불완전함을 인식하지도 못하는 사람을 부러워하지 않겠지요. 배부른 돼지보다는 궁핍한 인간이 낫고, 만족해하는 멍청이보다는 못마땅해하는 소크라테스가 되는 게 낫습니다. 만약 그 바보가, 혹은 그 돼지가 다른 의견을 갖는다면 그건 문제를 자기 쪽에서만 생각하기 때문이지요. 그러나 소크라테스는, 혹은 인간은 문제를 두루 생각합니다.

높은 단계의 쾌락을 즐길 수 있는 사람이 때로 유혹을 못 견디고 낮은 단계의 쾌락에 자주 굴복한다는 반론을 제기할 수 있습니다. 하지만 이런 주장은 높은 단계의 쾌락이 본질적으로 더 우위에 있음을 충분히 인정하는 것과 서로 공존할 수 있지요. 인간은 그 우유부단한 성격 탓에 가치가 떨어짐을 알면서도 더 가까이 있는 좋은 것을 선택하는 일이 잦습니다. 이런 선택은 육체의 쾌락과 정신의 쾌락 중에서 하나를 선택할 때만큼이나 두 가지 육체의 쾌락 중에서 하나를 선택할 때도 일어납니다. 사람들은 분명 건강이라는 가치가 더 좋음을 알면서도 건강을 해치면서까지 감각적 탐닉에 매달리지요.

또한 젊어서는 모든 고상한 것에 열정을 쏟다가 나이

가 들면서 나태해지고 이기적으로 바뀐다는 반론도 있을 수 있습니다. 하지만 나는 이런 아주 흔한 변화를 겪은 사람들이 높은 단계의 쾌락 대신 낮은 단계의 쾌락을 자발적으로 선택하리라고는 생각하지 않습니다. 이미 높은 단계의 쾌락을 즐길 수 없기 때문에 낮은 단계의 쾌락에만 몰두하게 됐다고 생각해요. 더 고상한 감정을 느끼는 능력은 여러 특성상 아주 여린 식물과 같습니다. 적합하지 않은 환경에서 자랄 때만이 아니라 영양분이 부족해도 쉽게 죽고 말지요. 자기 직업이나 각자 처한 사회적 상황이 그처럼 높은 단계의 능력을 발휘하는 데 적합하지 않다면, 대다수의 젊은이에게 고귀한 감정을 느끼게 하는 능력은 금세 사라지고 맙니다.

인간이 지적 취향을 잃으면 고귀한 열망도 잃어버리는 이유는 고귀한 열망에 빠져들 시간이나 기회가 없기 때문입니다. 저급한 쾌락에 빠지는 이유는 그런 쾌락을 의도하고 선호하기 때문이 아니라 저급한 쾌락이야말로 자기가 접근할 수 있다거나 그나마 오래 즐길 수 있는 유일한 쾌락이기 때문입니다. 높은 단계의 쾌락과 낮은 단계의 쾌락에 똑같이 쉽게 빠지는 사람이 다 알면서도 태연하게 낮은 단계의 쾌락을 선택할 것인지 의심스럽다는 이야기지요. 어느 시대나 많은 사람이 두 가지 쾌락을 함께 즐기려고 시도했다가 보람도 없이 실패하고 말았기 때문에 그렇습니다.

정당한 판결들을 내리는 배심원의 평결에 대해서는 항소할 수 없지 않겠습니까? 도덕 속성이나 그 결과와는 관계없이 두 종류의 쾌락 가운데 어느 것이 더 가치 있는지 또는 두 가지 삶의 방식 가운데 어느 쪽이 더 기분 좋은지의 문제에 대해서는 양쪽을 잘 알고 있는 적임자의 판단을 최종적으로 인정하거나, 혹시 서로 다른 판단을 내리면 그중 다수의 판단을 최종으로 인정해야 하지요. 게다가 쾌락의 질과 관련해서 이 판단을 받아들이는데 주저할 필요도 없습니다. 다른 재판부가 없기 때문이지요. 심지어 쾌락의 양에 대해서도 마찬가지입니다. 두 가지 고통 중에 어느 쪽이 더 날카로운지 또는 두 가지 감각의 쾌락 가운데 어느 쪽이 더 강렬한지 결정할 때 두 가지 모두를 잘 아는 사람들에게 총의를 묻는 것 외에 어떤 방법이 있을까요?

고통과 쾌락에는 동질 요소가 없습니다. 고통과 쾌락은 언제나 이질적입니다. 특정 고통을 감수하면서까지 특정 쾌락을 좇을 가치가 있는지 결정할 때 경험자의 감정과 판단 외에 무엇이 더 있어야 하겠습니까? 그러므로 쾌락의 강도 문제는 차치하더라도, 경험자의 감정과 판단으로 볼 때, 더 높은 능력에서 비롯되는 쾌락이 그런 높은 능력과는 동떨어진 동물 같은 속성으로 의심되는 쾌락보다 더 선호되는 유형으로 선언된다면, 어떤 쾌락을 추구할지에 관해 그 경험자의 감정과 판단을 마찬가지로 존중해야겠지요.

내가 이 문제를 길게 설명한 이유는 인간 행동의 지침으로 간주되는 공리 또는 행복의 개념을 완벽하게 이해하는 데 필요하리라 생각했기 때문입니다. 하지만 이것이 공리주의의 기준을 받아들이는 데 필수 불가결한 조건은 못되지요. 공리주의의 기준은 행위자 자신의 최대 행복이 아니라 모든 사람의 행복을 합친 총량이기 때문입

니다.[17]

고결한 인물이 그 고결한 기질 덕분에 항상 더 행복할지
에 대해 의문을 제기할 수 있겠지만, 그 기질이 다른 사
람을 더 행복하게 한다거나 세상 전체에 엄청난 이득이
된다는 점에는 의문의 여지가 없습니다. 그러므로 공리
주의는 전반적으로 구성원의 고결한 기질이 연마되어
야만 그 목적을 달성할 수 있습니다. 각 개인이 타인의
고결한 기질을 통해서만 행복의 혜택을 누릴 수 있고,
자기의 고결한 기질이 자신의 행복에는 아무런 도움이
되지 않는다 해도 말이지요. 방금 말한 것처럼 개인의
고결한 기질이 그 자신의 행복에 도움이 되지 않더라도
타인을 위해 그런 인품이 필요하다는 그런 단순한 언명
만으로도 공리주의 기준에 대한 반박을 소용없게 만듦

---

[17] 이처럼 공리주의는 '인류의 행복'을 목표로
하지만, 모든 사람의 행복이라는 개념에 이르
려면 '타인의 행복'을 생각할 수 있어야 한다.
따라서 '공리주의'는 '타인의 행복까지 생각
하는 행복이론'이며, '공리'는 '타인의 행복까
지 포함해서 생각하는 행복에 대한 기여도'라
고 도식적으로 이해할 수 있다.

니다.

앞서 설명했듯이 최대 행복의 원리에 따르면, 궁극의 목적은 가능한 한 고통이 없고 되도록 양적으로나 질적으로나 충분히 유쾌함을 누리는 존재가 되는 것입니다. 이런 궁극 목적은 그 밖의 다른 모든 것이 좋아지는 것과 관련되기도 합니다(우리가 우리 자신의 이익을 고려하든 타인의 이익을 고려하든지 간에 말이지요). 질에 대한 평가, 양과 비교해서 질을 측정하는 지침이야말로 비교수단으로는 가장 좋습니다. 그런 것들은 경험을 통해 느껴지는 데다가 자기의식과 자기관찰의 습관이 더해져야만 하지요. 공리주의 견해에 따르면 이것은 인간 행동의 목적이기 때문에 당연히 도덕의 기준이 됩니다. 따라서 고통은 없고 되도록 쾌락을 누리는 존재를 따른다면 인간 행동의 지침과 계율이 모든 인류를 최대한 지켜주리라 생각합니다. 인간만이 아니라 사물의 본성이 허용하는 한에서 분별력을 지닌 모든 피조물이 그런 존재가 될 수 있습니다.

하지만 이런 공리주의 이론에 대해 다른 부류의 반대자들이 들고일어나더군요. 그들은 어떤 형태의 행복도 인간의 삶과 행동의 합리적인 목적이 될 수는 없다고 말합니다. 우선 행복은 달성할 수 없기 때문이라며, 경멸하듯이 이렇게 반문합니다. 행복해지기 위해 당신은 어떤 권리를 가지고 있습니까? 칼라일[18]은 여기에 정곡을 찌르는 질문 하나를 더 던집니다. 조금 전까지 당신이 살아가는 데 무슨 권리라도 있었나요? 이어서 반대자들은 말합니다. 인간은 행복하지 않아도 살 수 있다고 말이지요. 고결한 사람이라면 누구나 이 사실을 알고 있으며, 사람은 저절로 고결해지는 게 아니라 체념이나 단념의 교훈을 배워야만 고결해질 수 있다고 주장합니다. 이 교훈을 충분히 배우고 철저히 따르는 것이 모든 덕행의 시작이자 필요조건이라고 단언합니다.

첫 번째 반론은 근거만 충분했다면 문제의 핵심을 찔렀겠지요. 어떤 행복도 누릴 수 없다면 행복의 달성은 도

---

[18] Thomas Carlyle 1795~1881. 스코틀랜드 태생의 작가, 철학자, 역사가. 〈영웅, 영웅숭배, 역사 속의 영웅〉, 〈프랑스 혁명: 역사〉, 〈차티스트 운동〉, 〈과거와 현재〉 등을 저술한 칼라일은 공리주의를 '돼지 철학'이라고 비난했다.

덕이나 어떤 합리적 행위의 목적이 될 수 없기 때문입니다. 하지만 여전히 공리주의 이론을 옹호할 이유가 있습니다. 공리에는 단지 행복의 추구뿐 아니라 불행을 방지하거나 완화하는 것도 포함되기 때문입니다. 행복을 추구하는 목표가 현실과 동떨어졌다 해도 불행을 방지하거나 완화할 여지는 훨씬 더 크고 그만큼 더 절박한 요구가 있습니다. 적어도 인류가 생존하기로 결정하고, 노발리스[19]가 권유한 특정 조건에 따라 집단자살 행위에 동참해서 위안을 구하려 하지 않는다면 말이지요.

하지만 인간의 삶이 행복해야 한다는 건 불가능하다며 단호하게 말하는 주장은 억지스럽고, 그게 억지스러운 이야기가 아니라면 적어도 과장된 말이긴 합니다. 행복이 아주 유쾌한 흥분 상태가 지속됨을 의미하나요? 만약 그렇다면 그런 의미의 행복은 불가능하며 이는 너무나 명백합니다. 한껏 고무된 쾌락의 상태는 순간적으로

---

[19] Georg Philipp Friedrich Freiherr von Hardenberg 1772~1801. 요절한 독일의 낭만주의 시인이자 철학자. '노발리스'는 그의 필명이다.

만 지속되거나 경우에 따라 중단되었다가 몇 시간 혹은 며칠 지속될 뿐이니까요. 그건 영원히 타오르는 불꽃이 아니라 이따금 섬광처럼 번뜩이는 기쁨입니다. 이 점에 대해서는 행복이 삶의 목적이라고 가르쳐온 철학자들 역시 자신들을 비웃는 사람들 못지않게 충분히 잘 알고 있습니다. 그들이 말한 행복은 황홀경의 인생이 아니었습니다. 능동적인 즐거움이 수동적인 쾌락을 단연 압도하도록 기틀을 잡고 인생이 줄 수 있는 이상을 기대하지 않으면서 고통은 적고 일시적이지만 다양하고 많은 쾌락으로 이루어지는 인생의 순간순간을 행복이라 했습니다. 이렇게 구축된 삶을 운 좋게 누려본 사람들에게는 항상 그런 삶이야말로 행복이라는 이름에 걸맞게 보입니다. 그리고 인생의 상당 기간을 그런 존재로 지내는 것이 지금도 많은 사람의 행운이지요. 처참한 교육과 형편없는 사회제도가 오늘날 거의 모든 사람이 이런 삶에 도달하려는 것을 막는 유일한 장애물입니다.

사람들이 행복을 삶의 목적으로 생각하도록 교육받았다면 과연 그런 절제하는 행복에 만족이나 할까? 이렇게 공리주의 반대자들이 의문을 제기할지도 모르겠군요. 하지만 대다수의 사람은 훨씬 적은 것에 만족해 왔습니다. 만족스러운 삶을 구성하는 가장 중요한 요소는 두 가지로 볼 수 있는데, 때로는 둘 중 하나만 있어도 만족스러운 삶을 사는 데 충분합니다. 그 두 가지는 바로 마음의 평화와 들뜸입니다. 대단히 평화로운 상태라면 아주 적은 즐거움으로도 많은 사람이 만족할 수 있습니다. 아주 큰 들뜸에 휩싸여 있다면 어지간한 고통은 참을 수 있지요. 많은 인류가 이 두 가지 요소를 모두 갖추는 것이 애당초 불가능할 이유는 없습니다. 서로 결코 어울릴 수 없는 건 아니기 때문에 자연스럽게 조화를 이룹니다. 둘 중 어느 한쪽의 상태가 길어진다면 나머지 한쪽 상태로 바뀌는 것을 대비하거나 어서 그 상태가 왔으면 하는 바람을 자극하는 셈이지요. 다만 게으름이 나쁜 버릇으로 굳어진 사람들만은 일정 기간의 휴식이 지난 뒤에도 들뜸 상태를 바라지 않습니다. 병적으로 들뜸 상태에 매달리는 사람들은 흥분 뒤에 이어지는 평온함을 이전의 들뜸에 비례해서 즐겁다고 생각하기는커녕 그저 지루하고 재미없다고 느끼지요. 겉으로는 상당히 운이 좋아 보이는 사람들이 자신에게 소중한 삶에서 충분한 기쁨을 찾지 못한다면 대체로 자기 자신만 생각한 나머지 타인을 배려하지 않기 때문입니다. 공적으로나 사적으로나 애정을 쏟을 일이 없는 사람들에게는 인생사 들뜰 일이 아주 줄어들고, 온갖 이기심이 사멸하는 죽음의 순간이 다가올수록 그 가치도 쇠락하지요. 하지만 죽어서도 개인적으로 애정을 쏟던 대상을 남겨둔 사람들이나 특히 인류 전체의 이익에 공감해 온 사람들은 죽음을 앞둔 순간에도 젊음과 건강의 활력에 대한 관심뿐 아니라 삶에 대한 흥미를 활기차게 유지합니다. 이기심 다음으로 인생을 만족하지 못하게 하는 주요 원인은 정신수양의 부족입니다. 내가 말하는 정신수양이란 철학자가 갖춘 그런 수양이 아니라 지식의 원천을 받아들일 자세가 되어 있고, 그 능력을 발휘할 수 있도록 어느 정도의 교육을 받은 상태를 뜻합니다. 정신수양을 한 사람은 자신의 주변 모든 것에서 끝없이 관심을 찾아내지요. 자연의 이런저런 대상들, 예술 작품, 시적인 상상력, 역사적인 사건, 인류가 걸어온 길, 과거와 현재와 미래에 대한 전망 등등 관심은 무궁무진합니다. 물론 이 모든 것에 무관심할 수 있고, 또한 정신 능력의 천분의 일도 소모하지 않을 수도 있겠지요. 처음부터 그런 것들에 도덕적이거나 인간적인 관심을 갖지 않는 경우라면 그저 호기심만 채우려 드는 사람입니다.

따라서 세상의 이치가 그렇듯이 이런 사색의 대상들에

지적인 관심을 충분히 지닐 수 있는 상당한 수준의 정신수양을 문명국가에서 태어난 모든 이가 계승하지 못할 이유가 없습니다. 태어나서부터 아무런 감정이나 배려도 없이 보잘것없는 인격에 매몰되어 자기만 생각하는 이기주의자여야 할 필연성은 없습니다. 이런 견해보다 훨씬 더 뛰어난 생각은 지금도 넉넉하게 있어서 인간이라는 종이 무엇으로 이루어졌는지 아주 잘 설명해주지요. 우리 인간은 순수하고 사사로운 애정과 공공선에 대한 진정한 관심을 지닐 수 있습니다. 정도의 차이가 있겠지만 올바르게 자란다면 말이지요. 관심 가질 것도, 즐길 것도, 바로잡고 개선해야 할 것도 많은 세상에서 이렇게 적당한 수준의 도덕적이며 지적인 자질을 갖춘 사람이라면 부러워할만한 존재가 될 수 있습니다. 악법이나 타인의 의지에 매여 자신이 가진 행복의 원천을 활용할 자유를 잃지만 않는다면, 육체나 정신의 고통을 일으키는 빈곤, 질병, 야박함, 무익함 또는 애정의 대상을 너무 일찍 상실하는 일처럼 우리 인생의 현실적인 해악을 피할 수 있다면, 우리 인간은 부러움을 살만한 삶을 찾는 데 실패하지 않을 겁니다. 그러므로 웬만큼 운이 좋지 않고서는 온전히 피할 수 없는 이런 재앙에 맞서 어떻게 싸울 것인지가 문제의 핵심입니다. 현재 상황에서는 이런 재앙을 없앨 수 없고, 때로는 어느 정도 완화하는 것도 어렵습니다. 그렇지만 조금이라도 합리적인 생각을 하는 사람이라면 세상에서 가장 현실적인 해악의 대부분은 뿌리째 뽑을 수 있으며, 인간의 문제가 꾸준히 개선된다면 결국에는 해악의 범위가 줄어들게 됨을 의심하지 않습니다.

빈곤은 어떤 의미에서 고통스럽지요. 하지만 사람들의 절제와 선한 마음이 더해지고 집단 지혜에 힘입어서 완전히 해소될 수 있습니다. 가장 다루기 힘든 인류의 적인 질병조차도 신체와 윤리에 관한 좋은 교육을 실시하고 유해한 영향을 미치는 요소를 적절히 통제하면 어느 정도 줄일 수 있습니다. 과학의 발전으로 이 지긋지긋한 적을 더 확실하게 정복할 수 있으리라는 기대도 이어지고 있지요. 이런 방향으로 발전이 이뤄질 때마다 우리의 수명이 단축될 가능성이 줄어들 뿐 아니라 더 큰 관심사인 행복을 둘러싼 여러 요소를 빼앗길 가능성도 줄어듭니다. 세상사 다른 실망스러운 점들이나 운명의 부침도 있지만, 이는 주로 무례할 정도로 경솔한 언행이나 통제되지 않는 욕망 때문에 생기며, 또는 불충분하거나 불완전한 사회제도 때문에 나타나는 결과입니다. 요약하면 인간이 겪는 고통의 주요 원인은 다양하며, 그중 상당수는 인간의 노력과 관심으로 거의 완전히 극복할 수 있습니다. 비록 이 극복 과정이 안타까울 정도로 더딘 탓에 극복 과정이 마무리되기도 전에 여러 세대가 죽음을 맞이할 수 있겠지만, 의지와 지식이 고갈되지 않는다면야 이 세상은 아마도 더 나아질 거라고 예상할 수 있습니다. 아무리 소소하고 눈에 띄지 않아도 고통을 극복하는 노력에 동참할 정도로 지적이고 관대한 사람이라면 고통을 극복하려는 싸움 자체에서 고귀한 기쁨을 이끌어 내겠지요. 이기심을 자극하는 유혹이 생기더라도 그는 이 싸움을 포기하지 않을 것입니다.

이런 논의 과정을 통해 우리는 행복 없이 사는 법을 배울 가능성과 그런 의무에 대해 반대론자들이 하는 말을 제대로 평가할 수 있게 되었습니다. 행복 없이 살 수 있음은 의심의 여지가 없습니다. 현대 사회에서 야만적인 분위기가 가장 덜하다는 곳에서도 스무 명 중 열아홉 명은 자기 의지와는 달리 행복하지 않은 채 지내고 있습니다. 영웅이나 순교자가 이런 삶을 자기 의지로 선택하는 경우가 적지 않은데, 자기 개인적인 행복보다는 소중히 여기는 무엇인가를 좇기 때문입니다. 하지만 그 무언가

라는 것이 타인의 행복이라거나 그 행복을 위해 필요한
게 아니라면 과연 무엇일까요? 자기 몫의 행복이나 행
복할 기회를 완전히 포기할 수 있다니 그건 고귀한 일이
지요. 하지만 결국 이런 자기희생에도 어떤 목적이 있는
게 분명합니다. 자기희생 자체가 목적은 아닙니다. 자기
희생의 목적은 행복이 아니라 덕행이며, 이 덕행이 행복
보다 나은 거라고 한다면 나는 이렇게 묻겠습니다. 다른
사람들의 희생을 막을 수 없다고 생각했어도 그 영웅과
순교자가 과연 그런 희생을 했었을까요? 자기 행복을
포기하는 일이 주변 사람들에게 아무런 결과를 가져다
주지 못하고 오히려 그들의 운명도 자기처럼 희생돼서
는 행복을 포기한 사람의 처지에 놓이게 될 거라고 생각
했어도 과연 그런 희생을 했었을까요?

인생의 사사로운 기쁨을 스스로 포기할 수 있고, 그렇
게 포기함으로써 세상 사람들이 누리는 행복의 양을 늘
리는 데 훌륭하게 기여한 사람들에게는 온갖 명예가 돌
아가야겠지요. 그러나 그 밖의 다른 목적을 위해 행복을
포기하거나 포기한 체하는 사람에게는 그렇게 할 수 없

습니다. 기둥에 앉아 있는 금욕주의자[20]에게 보내는 경탄 밖에는 받지 못할 것입니다. 그는 인간이 무엇을 할 수 있는지를 보여주는 고무적인 증거가 될 수 있겠지만, 무엇을 해야 하는지를 보여주는 사례는 될 수 없습니다.

누군가 타인의 행복을 위해서는 자신의 행복을 철저히 희생해야만 할 만큼 세상의 구조가 매우 불완전한 상태에 있더라도, 그런 희생을 할 용의가 있다는 것은 인간에게서 찾을 수 있는 최고의 덕입니다. 덧붙여 역설적인 주장처럼 들리겠습니다만, 이처럼 세상이 불완전한 상황에서도 행복 없이 행동할 수 있음을 생각해 내는 능력이야말로 결국 행복도 달성될 수 있음을 아주 잘 깨닫도록 해주지 않겠습니까? 그렇게 생각해 내는 능력이 인간에게 없다면, 최악의 운명과 불행에 처했을 때 그 어떤 것도 그런 자신의 처지를 뛰어넘는 힘을 자각하게끔 못합니다. 그런데 그런 자각은 삶의 해악에 대한 과도한 걱정에서 벗어나게 해주지요. 로마 제국에서 최악의 시절을 보내야 했던 수많은 스토아학파 사람처럼 평온하

---

[20] 스토아학파를 지칭한다.

게 자신에게 허용된 만족의 원천들을 계발하게끔 합니다. 그 해악이 필연적으로 끝날 것 말고는 언제 끝날지에 대해서 신경 쓰지 않으면서요.

그런데 공리주의자들도 스토아학파나 초월주의자[21]의 전유물처럼 여겨졌던 자기 헌신의 도덕성을 끊임없이 주장합니다. 공리주의 도덕에서는 타인을 위해 자신의 최대 행복을 희생하는 힘이 인간에게 있다고 인정합니다. 단지 그런 희생 자체가 선함이라는 데 동의하지 않을 뿐입니다. 행복의 총량을 늘리지 않거나 늘릴 것 같지 않은 희생은 헛됩니다. 공리주의가 갈채를 보내는 자기 헌신은 오직 행복에 기여하는 것이며, 그건 인류 전체이든, 인류의 집단적 이익이 고려된 개인이든, 타인의 행복이나 그 행복의 수단에 기여하는 일입니다.

공리주의를 공격하는 사람들이 결코 인정하지 않으려 하는 점을 다시 짚고 넘어가야겠습니다. 공리주의에서 올바른 행동의 기준이 되는 행복에 대한 이야기입니다.

---

[21] 칸트학파 사람들을 지칭한다.

공리주의의 행복은 행위자 자신의 행복이 아니라 관련된 모든 사람의 행복임에도 그들은 이런 점을 인정하지 않습니다. 행위자 자신의 행복과 타인의 행복 사이에서 선택해야 할 때, 공리주의는 행위자에게는 사심이 없고 인정 많은 방관자처럼 엄격한 중립을 요구합니다. 우리는 나사렛 예수의 황금률에서 완벽한 공리의 윤리 의식을 읽을 수 있지요.

남에게 대접받고자 하는 대로 너희도 남을 대접하라.[22]
네 이웃을 네 몸과 같이 사랑하라.[23]

이는 공리주의 도덕의 이상을 완벽하게 나타냅니다. 이런 이상에 최대한 가까이 도달하기 위해 공리주의는 다음과 같은 방법을 제시합니다. 첫째, 법과 사회 제도는 모든 개인의 행복이나 (보다 현실적으로 말하자면) 개

_____

[22] 누가복음 6장 31절. 마태복음 제7장 12절에서는 "그러므로 무엇이든지 남에게 대접을 받고자 하는 대로 너희도 남을 대접하라. 이것이 율법이요 선지자니라."

[23] 마가복음 12장 31절

인의 이익이 전체의 이익과 가능한 한 조화를 이루게 해야 합니다. 둘째, 인간의 성격 형성에 엄청난 영향을 미치는 교육과 여론은 그 영향력을 이용해서 모든 개인의 머릿속에 자신의 행복과 전체로서의 선함 사이에는 떼려야 뗄 수 없는 관계가 있음을 확실히 알게 해야 합니다. 보편적인 행복의 규정과 관련해서는 특히 그렇습니다. 긍정이건 부정이건 자기 자신의 행복과 공익을 생각하는 행동은 불가분의 관계이지요. 그렇게 가르침으로써 공공선에 반하는 행동으로 행복해지려고는 생각하지 않게 됩니다. 오히려 공공선을 증진시키려는 자극이 각 개인의 행동에 영향을 미치는 동기가 될 수 있으며, 그런 자극과 연관된 감정이 모든 사람의 감정생활에서 크고 중요한 위치를 차지할 것입니다. 공리주의의 도덕을 비난하는 사람들이 이런 공리주의의 특징을 제대로 이해했다면 다른 도덕원리에 있는 장점이 공리주의에는 없다고 단언할 수 없었겠지요. 과연 어떤 윤리 체계가 인간의 본성을 이보다 아름답거나 고귀하게 발달시킬 수 있을까요? 공리주의가 아니라면 윤리 강령을 실행할 수나 있겠습니까? 윤리 체계가 의존하는 행동의 동기가 공리 말고 달리 무엇이겠습니까?

공리주의를 반대하는 사람들이 항상 불신의 관점에서 공리주의를 논한다고 나무랄 수는 없습니다. 오히려 반대자 중에는 공리주의에서 말하는 사심 없는 특징을 환영하면서도 공리주의의 기준이 우리 인류에게는 지나치게 높다고 트집 잡는 사람도 있더군요. 사람들에게 사회 공익을 장려하는 동기에 따라 항상 그렇게 행동하도록 요구하는 건 너무 지나치다는 이야기입니다. 하지만 이런 트집은 도덕의 기준이라는 의미 자체를 오해하면서, 행동의 동기와 행동의 규칙을 혼동하고 있는 것입니다. 윤리학의 본분은 우리에게 우리의 의무가 무엇인지 알려주는 것이지요. 또는 그런 의무를 알려면 어떤 검증을 거쳐야 하는지 가르쳐 주는 일입니다. 하지만 어떤 윤리 체계에서도 의무감이 우리가 하는 모든 행동의 유일한 동기라고는 말하지 않습니다. 오히려 우리 행동의 99%는 다른 동기에 의한 것이고, 그건 또 그것 나름대로 정당합니다. 의무 규칙에 위배되지만 않는다면 말이지요. 이러한 특별한 오해가 공리주의를 반대하는 근거가 된다는 점은 공리주의를 지지하는 입장에서는 정말 부당한 일입니다. 왜냐하면 공리주의 윤리학자들은 행위자의 사사로운 동기(행위자에게 아주 가치 있는 동기라고 해도)가 그 행위의 도덕성과는 아무 관계가 없다고 그 누구보다 단언해 왔기 때문입니다. 물에 빠진 동료를 구한 사람은 그 동기가 의무감 때문이었든 자신의 수고에 대해 보상을 받으려는 기대 때문이었든 도덕적으로 옳은 일을 한 겁니다. 자신을 믿는 친구를 배신한 사람은 자신이 더 큰 도움을 받은 또 다른 친구를 도와주기 위함이어도 죄를 지은 겁니다. 그러나 의무라는 동기에서 행한 행동과 전적으로 의무 원리에 순응해서 행한 행동에 대해서만 말하자면, 세계로서의 보편성이나 사회 전체를 염두에 두는 사고방식은 올바른 공리주의 이해가 아닙니다. 대부분의 선행은 세상의 이익을 위해서가 아니라 자신의 개인적인 이익을 위해서 비롯되며, 세상의 선함은 개인의 선함이 모인 것이지요. 그러므로 가장 덕망이 높은 사람조차 관련 당사자를 넘어서까지 생각할 필요가 없습니다. 관련된 사람들에게 이익을 주기 위해 다른 누군가의 권리를 침해한 것은 아닌지, 즉 누군가의 합법적이고 정당한 기대를 저버린 것은 아닌지 스스로 확인할 필요가 있는 경우를 빼고 말이지요.

공리주의 윤리에 따른 덕행의 목표는 행복의 증진에 있습니다. 누구나 (천 명 중 한 명쯤은 제외하더라도 말이지요) 행복을 광범위하게 증진시키기 위해 마치 공익 사업가처럼 덕행의 힘을 발휘할 수 있지요. 하지만 예외적일 겁니다. 이런 예외적인 경우에만 공공복리를 고려하라고 요구되는 것입니다. 나머지 경우에는 사사로운 공리, 즉 일부 몇몇 사람의 이익이나 행복에만 신경 쓰면 그만입니다. 그 행위가 사회 전체에 영향을 미치는 사람들만이 항상 광범위하게 공익 목표에 관심을 기울일 필요가 있습니다. 실제 어떤 일을 절제하는 경우, 즉 사람들이 그 결과가 이로울지는 몰라도 도덕을 생각해서 어떤 행동을 하지 않는 경우를 생각해 볼 수 있는데, 지성을 가진 사람들이라면 널리 행해질수록 그만큼 해로워지는 속성의 행동을 확실히 분별해서 그런 행동을 삼가겠지요. 이런 인식에 들어있는 공익에 대한 배려는 모든 도덕 시스템이 요구하는 수준을 넘지 않습니다. 왜냐하면 모든 도덕 시스템은 사회에 분명히 해가 되는 것이라면 그게 무엇이든지 삼가라고 명령하기 때문입니다.

공리주의를 향한 또 다른 비난에 대해서도 같은 식으로 반박할 수 있습니다. 도덕 기준의 목적과 옳고 그름이라는 말 자체의 의미를 두고 한층 심각한 오해에서 비롯된 비난인데, 흔히 공리주의는 인간을 냉정하고 매몰차게 만든다고 말하며, 개개인에 대한 도덕 감정을 냉담하게 만든다는 것이고, 행위의 결과만을 무미건조하게 고려해서 그런 행동을 유발한 요인에 대한 도덕 평가는 외면해 버린다는 비난입니다.

만약 이런 비난이, 행위자의 품성이 어떤 행위의 옳고 그름에 미치는 영향을 허용하지 않는다는 점을 지적하는 주장이라면 이는 공리주의에 대한 불만이 아니지요. 이런저런 도덕 기준 모두에 대한 불만이겠습니다. 왜냐하면 우리가 아는 어떤 윤리 기준도 착한 사람이냐 나쁜 사람이냐로 행동의 선악을 판단하지 않기 때문입니다. 상냥한 사람, 용감한 사람, 인정 많은 사람, 혹은 그렇지 않은 사람이라서 그 사람의 행동의 선악을 판단할 리 없으니까요. 이런 고려 사항은 행동을 평가하는 게 아니라 행위자를 평가하는 것입니다. 행위의 옳고 그름 외에 인격에 관심을 갖도록 하는 다른 요소도 있기는 있지요. 하지만 그게 공리주의 이론과 전혀 모순되지도 않습니다. 스토아학파는 역설적이게도 그 사상 체계의 일부인 언어를 잘못 사용했고, 덕 외에 어떤 것에도 무심하려고 애썼습니다. 덕을 가진 사람은 전부를 가졌으며, 오직 그런 사람만이 부유하고, 아름답고, 왕이라고 즐겨 말했습니다. 하지만 공리주의 이론에서는 덕이 있는 사람을 그렇게 설명하지 않습니다. 공리주의자들은 인간에게 덕 외에 다른 바람직한 자질이 있음을 잘 알고 있으며, 그런 자질 모두가 충분히 발휘하기를 진정 바라고 있습니다. 또한 공리주의자들은 옳은 행위를 한다고 그것이 반드시 덕 있는 품성을 나타내지는 않으며, 비난할 만한 행위가 칭찬받아 마땅한 자질에서 기인하는 경우도 잦다는 사실을 알고 있지요. 이런 일이 벌어진다면 그 행위가 아니더라도 행위자에 대한 평가가 바뀝니다. 공리주의자들은 선한 품성을 가장 잘 입증하는 건 결국은 선한 행위이며, 악한 행위를 유발하는 경향이 분명하다면 어떤 정신의 성향도 선함으로 여기지 않으리라 생각하며, 나는 이 생각에 동의합니다. 이런 점 때문에 공리주의가 많은 사람에게 호응을 얻지 못하고 있기는 하지요. 하지만 이는 공리주의자들이 옳고 그름을 진지하게 구분하는 모든 사람과 함께 감수해야 하는 사항입니다. 양심적인 공리주의자라면 반박하려고 애쓸 필요가 없는 비난이기 때문입니다.

상당수의 공리주의자가 너무나 배타적인 관점으로 자기들의 공리주의 기준에 따라 행위의 도덕성만 평가한 나머지 인간을 사랑스럽거나 존경할 만한 존재로 만들어 주는 다른 품성의 장점을 충분히 강조하지 못한다면서 공리주의를 반대한다면 그 정도는 인정해 줄 수 있습니다. 도덕 감정을 키우면서도 동정심이나 예술 감성을 키우지 않는 공리주의자들이 그런 잘못을 저지릅니다만, 같은 상황에 있는 다른 모든 도덕주의자 역시 그렇답니다. 다른 도덕주의자를 위해 할 수 있는 변명이라면 공리주의자들에게도 똑같이 할 수 있지 않겠습니까? 그러니까 저쪽에도 그런 실수가 있다는 이야기입니다. 실수가 있을 수밖에 없다면 말이지요. 사실 다른 사상 체계의 지지자들과 마찬가지로 공리주의자들 가운데도 곧이곧대로 기준을 적용하는 사람이 있는가 하면 허투루 적용하는 사람이 있습니다. 청교도처럼 엄격한 사람들이 있는가 하면 범죄자나 감상주의자들이 기대할 만한 너그러운 사람들도 있지요.

그런데 도덕법을 위반하는 행위를 억제하거나 방지하는 데 사람들이 보이는 관심에 유독 주목하는 이론은 대체로 다른 어떤 이론보다도 그런 위반 행위를 하지 않도록 여론에 의한 억제를 잘 활용합니다. 다른 도덕 기준을 인정하는 사람들은 '무엇이 도덕법을 위반하는가'라는 질문에 의견을 달리합니다. 공리주의가 도덕 문제에 대한 다른 의견을 세상에 처음으로 알린 것은 아니지요. 그러나 공리주의가 어떤 상황에서든 그런 의견 차이를 드러내는 확실하고 명쾌한 방식을 제시했습니다. 항상 쉬운 일은 아니었습니다만.

공리주의 윤리학에 대해 흔히 갖는 오해가 너무나 명백하고 저속한 나머지 솔직하고 똑똑한 사람이라면 그런 오해에 빠질 일이 없을 테지만, 몇 가지 오해를 더 언급한다고 쓸데없는 일은 아니겠지요. 지적인 재능이 상당한 사람들조차 때로 자신이 편견을 가진 의견에 대해서는 이해하려는 노력을 거의 하지 않기 때문입니다. 그리고 사람들이 대개 이런 자발적인 무지를 결점으로 인식하는 일이 거의 없는 나머지 윤리 이론에 대한 그런 저급하고 극심한 오해가 고매한 학식과 철학에 큰 포부를 가진 사람들이 심사숙고해서 쓴 글에서 끊임없이 생기기도 하고요. 공리주의 이론이 무신론이라는 비난도 잦습니다. 억측에 불과할 뿐인 이런 주장에 대해 굳이 답할 필요가 있다면, 우리는 이렇게 말할 수 있을 듯하군요. 그 문제는 조물주의 도덕적 성격을 어떻게 생각하는지에 달려 있다고 말이지요. 무엇보다 하느님은 당신이 창조한 피조물의 행복을 원하고 있고 이것이 만물을 창조한 목적이라고 진실로 믿는다면, 공리주의 이론은 무신론이 아닐뿐더러 그 어떤 이론보다 훨씬 더 종교적입니다. 만약 그런 비난이 공리주의가 하느님의 계시 의지를 최고의 도덕 법칙으로 인정하지 않는다는 점을 의미하는 거라면, 나는 이렇게 답하겠습니다. 공리주의가 하느님의 완벽한 선함과 지혜를 믿는다면 도덕 문제에 대한 신의 계시가 무엇이든 그 계시야말로 공리의 요건을 최고로 충족합니다. 하지만 공리주의자 외에 다른 사람들은 기독교의 계시를 이렇게 해석하더군요. 인간으로 하여금 스스로 무엇이 옳은지 찾도록 해주고 또 그런 올바름을 행하도록 이끌어 주는 영Spirit이 있고, 기독교의 계시란 그 영을 인류의 마음과 정신에 불어넣도록 알맞게 의도되었는데, 아주 보편적인 표현 말고는 그 올바름이 무엇인지에 대해서는 말해주지는 않으며, 그 때문에 우리에게 윤리에 관한 이론이 필요하다는 것이고, 그걸 통해 신중하게 신의 의지를 해석하게 된다는 생각입니다. 이런 생각이 맞는지 아닌지 여기서 논하지는 않겠습니다. 왜냐하면 자연 종교든 계시 종교든 종교가 윤리 탐구에 줄 수 있는 도움은 다른 도덕주의자들과 마찬가지로 공리주의자도 받을 수 있으니까요. 공리주의자도 하느님의 가르침이라며 주어진 행동방침의 유용함이라거나 해로움에 대해 종교를 이용할 수 있습니다. 유용성이나 행복과는 아무런 관련이 없는 초월적인 법칙을 보여주기 위해 다른 사람들이 종교를 이용할 수 있는 것과 마찬가지입니다.

게다가 공리에 편의주의라는 이름을 붙여서 간단히 비도덕적인 이론으로 낙인찍는 일도 잦습니다. 그런 공격은 도덕원리와 대비되도록 하는 인기 있는 용어사용술이지요. 하지만 편의성은, 올바름과는 반대되는 의미에서, 행위자 자신의 어떤 특수한 이익을 위한 편리함을 의미하는 것이 보통입니다. 정부 관리가 자기 자리를 지키려고 국가의 이익을 희생시키는 경우와 같지요. 이보다 더 나은 의미로는, 당면한 대상이나 일시적인 목적을 위해서는 편의적이지만 지켜야만 하는 규칙을 어기는 경우의 편의성이 있겠습니다. 이런 의미의 편의성은 유용함이 아니라 유해함에 속하지요. 흔한 편의성입니다만, 당황스러운 순간을 모면한다거나 자기 자신이나 타인에게 유용한 목전의 목표를 달성하기 위해 거짓말을 하는 게 편리할 수 있겠지요.

하지만 정직함에 대한 섬세한 감각을 우리가 연마한다

는 점을 감안한다면, 거짓말하는 행동은 매우 유용할지는 몰라도 매우 해로운 것을 알아채는 능력(우리 행동에 도움이 될 수 있는 능력)을 약화시킵니다. 그리고 이유야 어쨌든, 의도한 게 아니더라도, 진실에서 일탈하면 인간의 주장에 대한 신뢰성을 크게 약화시켜 버립니다. 결국 거짓말 때문에 지금의 모든 사회적인 웰빙의 중요한 밑거름이 연약해지고, 그로 말미암아 거짓말은 문명과 덕행과 인간 행복을 저해하는 그 어떤 요소보다 더 해롭습니다. 그러므로 현재의 이익을 위해 그런 편의성을 초월하는 규칙을 어기는 건 편의적으로 보이지 않습니다. 자신을 위해 또는 다른 어떤 개인의 편리를 위해 자기 마음대로 인류에게서 선함을 빼앗고 해악을 가하는 사람이라면 인류 최고의 악역을 맡은 게 아니겠습니까? 사람들이 이러쿵저러쿵 말하거나 크든 작든 믿든지 말든지 간에요.

그런데 도덕주의자들이 인정하는 것처럼, 지켜야만 하며 신성하기까지 한 규칙조차 예외의 가능성을 허용합니다. 대표적인 예외로는 어떤 사실을 알리지 않는 것(범죄자에게 정보를 알려주지 않거나 위독한 환자에게 나쁜 소식을 전하지 않는 것 같은)이 한 개인(특히 자기 자신이 아닌 타인일 경우에)을 터무니없는 해악으로부터 보호할 수 있을 때가 있고, 또 아니라며 부인하면서 그런 행위를 덮어둘 때가 있습니다. 그러나 그런 예외적인 경우가 필요 이상 확대되지 않도록, 그리고 정직함에 대한 신뢰를 가능한 한 약화시키지 않도록, 그것이 예외라는 사실을 인식시켜야 하며 되도록 그 한계를 정해야 합니다. 공리의 원리를 어디에나 적용할 수 있다면, 상충되는 여러 공리를 비교해서 어느 한쪽에 가중치를 적용할 수도 있어야 하지요. 이런저런 공리 중에서 어느쪽의 공리가 더 무게가 나가는지 그 구역을 표시할 수도 있어야 하고요.

또한 공리의 원리를 옹호하는 사람들은, 어떤 행위를 하기 전에 그 행동이 만인의 행복에 미치는 영향을 가늠하고 비교할 시간이 없다는 반론에 대해서도 답해야 합니다. 이것은 마치 어떤 행위를 할 때마다 구약성서와 신약성서를 끝까지 다 읽어 볼 시간이 없기 때문에 기독교가 우리 행위를 인도하게 할 수 없다고 말하는 것이나 다름없지요. 이 반론에 대해서는 충분한 시간이 있었다고 답변하면 됩니다. 인류가 존재해 온 과거 전체를 포함해서 시간은 충분했다는 이야기입니다. 그 시간 동안 인류는 경험을 통해 행위의 경향을 터득해 왔습니다. 인생의 모든 도덕률뿐 아니라 온갖 사려분별은 그런 경험의 소산이지요. 사람들은 이런 경험 과정의 시작이 지금까지 미뤄져 온 것처럼 말합니다. 어떤 사람이 타인의 생명이나 재산에 손을 대려는 마음이 생길 때 그제야 처음으로 살인과 절도가 인간의 행복에 해롭다고 생각해야 한다는 듯이 말이지요. 그렇다고 하더라도 나는 그 사람이 이 문제를 아주 곤혹스럽게 여길 거라고는 생각하지 않아요. 어쨌든 이 문제의 해결은 그의 손에 달려 있습니다.

정말 별난 가정도 있더군요. 인류가 공리를 도덕의 판단 기준으로 여기는 데 동의하더라도, 무엇이 유용한지에 대해서는 여전히 어떤 합의도 하지 못할 것이며, 그러므로 이 문제에 관해서는 사람들의 생각을 젊은이들에게 가르치고 법과 여론에 의해 강제할 마땅한 수단이 없다고 말합니다. 누가 봐도 말도 안 되는 내용이 도덕 기준에 들어갔다면 어떤 도덕 기준이든 제 기능을 하지 못함을 증명하기란 어렵지 않습니다. 하지만 그 정도까지는 아니더라도 인류는 여러 가설을 통해 지금까지 어떤 행위가 행복에 영향을 미칠 것인지 확고한 신념을 얻은 것은 분명합니다. 그렇게 전승된 신념이 대중에게 도덕 규칙이 되며, 이는 더 나은 규칙을 찾기 전까지 철학자에게도 마찬가지입니다. 지금도 철학자들은 아마도 많은 주제에 대해 더 나은 규칙을 찾으려고 합니다. 사람들이 받아들이는 윤리 규정이라고 해서 결코 신성한 권리는 아니며, 행위가 만인의 행복에 미치는 영향에 대해 인류는 여전히 배워야 할 것이 많다고 나는 생각합니다. 아니, 진지하게 주장합니다.

공리의 원리에서 도출된 추론은 모든 실용적 기술의 교훈과 마찬가지로 끝없이 개선될 수 있으며, 인간 정신이 점진적으로 발전하는 상태를 생각해 보면 공리주의 추론도 계속 개선되겠지요. 한편으로는 도덕 규칙이 발전할 수 있다고 생각하지만, 또 한편으로는 그런 생각과는 별개로 중간 단계의 일반론을 완전히 건너뛰어서 제1원리에 따라 각각의 개별 행동을 직접 검증하려고 시도해 볼 수 있습니다. 그런데 제1원리는 인정하면서 2차 원리들은 인정하지 않겠다는 건 이상한 생각이지요. 여행자에게 최종 목적지를 알려주는 것이 가는 도중에 있는 랜드마크나 이정표를 이용하는 일을 막는 건 아니잖습니까? 행복은 도덕의 목적이자 목표라는 명제의 의미는

그 목적을 이루기 위한 길을 닦으면 안 된다는 의미는
아니지요. 또한 그쪽으로 가는 사람에게 그쪽이 아니라
이쪽으로 가라고 충고해서는 안 된다는 말도 아닙니다.
사람들은 정말 이 주제에 대해 허튼소리를 그만 멈춰야
해요. 사람들은 다른 현실적인 문제에 대해 말을 하거나
들으려 하지 않습니다.

선원들이 항해력Nautical Almanack[24]을 어림할 것 같지 않다
고 해서 누구도 항해술이 천문학에 기반을 두지 않는다
고 주장하지 않습니다. 선원들은 이성적인 피조물이므
로 항해력을 준비해서 바다에 나갑니다. 모든 이성적인
피조물은 인생이라는 항해를 하고요. 현명함과 어리석
음을 분별하는 훨씬 더 어려운 많은 문제뿐 아니라 옳고

---

[24] 선박이 대양을 항해할 때 그 위치를 확인하
기 위하여 천문을 관측하는 데 필요한 정보를
수록한 천문항법전용의 수로 서지 연감. 달
력, 달의 위상, 일월식과 천문현상, 행성과 항
성의 위치, 해와 달의 출몰시각 등을 수록하
고 있다. 영국에서는 정부기관인 수로관청이
간행하고 있으며 1767년 초판이 발행된 이후
로 매년 간행되고 있다. 우리나라에서는 국립
해양조사원이 간행한다.

그름을 구분하는 평범한 문제가 수록된 정신의 항해력을 준비해서 말이지요. 인간이란 신중하게 앞을 내다보는 자질이 있기 때문에 이런 인생항해는 계속 이어질 터입니다.

우리가 어떤 도덕의 기본 원리를 택하든 그것을 적용하려면 부차적인 원리들이 필요합니다. 상식적으로 어떤 이론 체계에서든 부차적인 원리 없이 기본 원리를 적용할 수 없으며 도덕 체계만 다르다고 할 수 없지요. 그런데 마치 그런 2차 원리들이 있을 수 없다는 듯 용감하게 주장하는 사람들이 있더군요. 인생의 경험을 통해서는 어떤 보편적인 결론도 그려내지 못한 채 지금까지 지내왔으며 앞으로도 경험으로는 보편적인 결론을 얻을 수 없다는 주장은 아주 공허한 외침입니다. 내 생각으로는 철학 논쟁에서 이제껏 가장 어처구니없을 정도입니다.

공리주의에 대한 남아 있는 상투적인 반론은 대체로 인간 본성이 흔히 지니는 허약함에 관한 고발입니다. 그리고 인생의 항로를 정함에 있어 양심적인 사람들도 곤혹스러워하는 일반적인 어려움에 관하지요. 공리주의자는 자기 자신의 케이스에 관해서는 도덕 규칙의 예외로

여기기 십상이며, 유혹에 빠지면 도덕 규칙을 지켰을 때
의 공리보다는 규칙을 위반할 때의 공리를 더 크게 여기
리라는 반론입니다. 하지만 공리가 나쁜 짓을 변명할 수
있는 유일한 신조입니까? 우리 자신의 양심을 속이는
수단인가요? 도덕 속에 상충되는 요소들이 존재한다는
사실은 모든 이론에서 얼마든지 제시됩니다. 정상적인
사람들이 믿는 모든 이론이 다 그렇습니다. 어떤 예외
사항도 요구하지 않는 행위 규칙을 만들 수는 없고, 어
떤 종류의 행위도 언제나 의무적으로 해야만 한다거나
언제나 비난받아 마땅한 것으로 규정하기는 어렵지요.
이것은 특정 신조의 결점 때문이 아니라 인간사 복잡한
속성 때문입니다.

행위자의 도덕적인 책임 아래서 이런저런 독특한 상황
에 부합할 수 있도록 어느 정도는 허용해 줌으로써 법칙
의 엄격성을 좀 누그러뜨리지 않는 윤리적인 신조가 과
연 있겠습니까? 하지만 모든 신념마다 그렇게 만들어진
빈틈에는 자기기만과 부정직한 궤변이 들어오지요. 어
떤 도덕 체계에서나 의무가 서로 충돌하는 명백한 경우
가 나타나게 마련입니다. 윤리 이론 면에서나 개인의 행
동을 양심으로 이끄는 데서나 정말 어렵고 까다로운 문

제입니다. 개인의 지성과 덕을 이용함으로써 그런 어려움들을 현실적으로 극복하는 데 어느 정도 성공하기도 하지요. 그러나 권리와 의무가 상충될 때 참고할 수 있는 최고의 기준을 가지고 있다면, 누군가 그런 어려움을 다룰 자질이 부족한 척하기 어렵지 않겠습니까?

만약 공리가 도덕적 의무를 판단하는 최고의 원천이라면, 도덕적 의무에서 요구하는 행동들이 서로 상충될 때 공리에 의지해서 판단할 수 있을 것입니다. 설령 그 기준을 적용하는 것이 어렵더라도, 아예 없는 것보다는 낫지 않겠습니까? 그런데 다른 이론 체계를 보십시오. 모든 도덕법이 독자적인 권한을 주장하지만, 여러 도덕법 사이에 끼어들어서 그 권한을 중재할 자격이 있는 공동 심판이 없습니다. 어느 한 도덕법이 다른 도덕법보다 우위에 있다는 주장의 근거는 궤변보다 나을 게 없지요. 공리를 고려하는 중재자를 승인하지 않는다면, 다른 도덕법에서 보통 그렇게 되는 것처럼 개인의 욕망과 편견에 따라 자유롭게 행동하는 영역이 생깁니다. 우리는 2차 원리들 사이에 충돌이 일어나는 경우에만 제1원리에 도움을 구해야 함을 기억해야 합니다. 어떤 2차 원리도 포함되지 않는 도덕적 의무의 예는 없습니다. 만약 2차 원리도 없는 도덕 의무가 있다면, 그 원리 자체를 인식한 어떤 사람의 정신 속에서 그 도덕적 의무가 어느 것인지 의심하는 게 불가능하니까요.

제3장
공리주의 도덕에서
최고 벌칙은 무엇인가?

도덕 의무의 구속력은
일종의 감정 덩어리 속에 있고,
우리가 옳다고 여기는 기준을 어기려면
이 감정을 극복해야만 합니다.
양심의 속성이나 기원에 대해 우리가 어떤
이론을 택하든 본질적으로 양심을 이루는
것은 이런 감정의 덩어리입니다.

당연하고도 흔한 질문이 있습니다. 도덕 기준이라는 것에 대해 이렇게 질문합니다. 대체 도덕 기준을 어겼을 때의 벌칙이란 무엇인가요? 도덕 기준을 따라야 하는 이유는 무엇입니까? 조금 더 구체적으로 말하자면 이런 거지요. 도덕 기준을 의무로서 따라야 하는 이유는 무엇인가요? 따르지 않을 때의 벌칙은 어디에서 나옵니까? 이런 질문에 답변을 내놓는 것이 도덕철학의 당연한 역할입니다. 다른 어떤 기준보다 공리주의에 특별히 해당되는 질문인 양 흔히 공리주의 도덕에 반대하는 모양새를 띠고 있지만, 실제 모든 도덕 기준에 대해 제기되는 질문입니다. 사실 한 사람이 어떤 기준을 채택해야 할 때나, 평소 자신이 기대지 않는 원리를 도덕률로 적용해야 할 때마다 나오는 질문이지요. 왜냐하면 우리 마음속에 그 자체로 의무 감정을 불러오는 것은 교육과 여론이 신성시해 온 관습적인 도덕밖에 없기 때문입니다. 따라서 그와 같은 관습의 후광을 받지 못한 어떤 일반 원리에서 도덕의 구속력이 나온다는 것을 믿으라고 한다면 그 사람에게 이런 주장은 모순입니다. 오리지널 일반론보다 소위 부수적인 것들의 구속력이 더 큰 것처럼 보이게 되며, 상부 구조는 그 토대가 있을 때보다 없을 때 더 잘 버티는 것처럼 보이는 셈이지요. 그는 이렇게 속으로 생각합니다. ―절도나 살인을 해서도 안 되고, 배신하 거나 기만해서도 안 된다고 생각해. 하지만 내가 어째서 만인의 행복을 증진시켜야 하는 거지? 나 자신의 행복 이 타인의 행복이 아니라 다른 데 있다면 그것을 선호하 면 안 되는 걸까?

만약 도덕감의 본질에 대해 공리주의 철학이 취하는 견 해가 옳다면 이런 어려움은 항상 생기겠지요. 도덕 품성 을 형성하는 교육과 여론의 영향들이 그 영향으로 비롯 된 결과에 대해서 마찬가지로 도덕원리를 지배할 때까 지 말입니다. 즉, 평범하게 잘 자란 젊은이가 범죄에 대 해 공포를 갖는 것처럼, 교육의 개선으로 같은 인간에게 느끼는 일체감이 우리 인성에 깊게 뿌리내리고(그리스 도가 그렇게 의도했음을 부인할 수 없습니다), 우리 스 스로 의식하기에 그 일체감이 우리 인성의 일부로 완벽 하게 자리 잡을 때까지 이런 어려움은 계속되리라는 말 씀입니다. 그렇지만 이런 어려움이 특이하게 공리주의 에만 해당되지는 않지요. 도덕성을 분석해서 그것을 원 리들로 환원하려는 모든 시도 속에 내재되어 있습니다.

도덕원리가 이미 사람들의 마음속에서 부여되어 있지

않다면, 또한 도덕원리를 적용할 때만큼의 신성함이 이미 사람들의 마음속에 없다면, 도덕을 분석하고 원리를 추론해 봤자 언제나 도덕의 신성함만 줄이는 것처럼 보입니다.

공리의 원리에도 다른 도덕 체계에 있는 온갖 벌칙[25]이 있지요. 사실 그렇지 않을 이유가 없습니다.

---

[25] Sanction: 국가에서 입법한 법률의 구성을 살펴보면 일반적으로 그 법의 목적, 정의, 의무를 발생시키는 주요 요건 및 집행에 관한 규정이 있고, 마지막에는 그 법이 정한 규정을 어기는 위법행위를 처벌하는 벌칙규정을 둔다. 그런 벌칙 규정이 'Sanction'이다. 서양 철학에서 '도덕'은 행위에 관한 규칙이며, 이는 곧 일종의 법률로 인식된다. 그러므로 도덕법이 정하는 행위에 관한 일련의 요건이 있고, 그 요건을 어겼을 때에는 당연히 벌칙이 있어야 하지 않겠냐는 생각이 자연스럽게 생긴다. 밀은 3장에서 그런 벌칙에 대해 자세히 설명한다. '행복이라는 도덕률'을 주창하는 공리주의도 당연히 벌칙이 있다는 것이다. 도덕률을 어겼을 경우에는 처벌이 생기고, 반면 도덕적인 행동을 했다면 보상에 대한 기대에 부응하여 칭찬이나 격려를 받는다. 그것이 여기서 논하는 'Sanction'이다.

이런 벌칙에는 외부 벌칙과 내부 벌칙이 있습니다. 외부 벌칙에 대해서는 길게 말할 필요가 없을 겁니다. 외부 벌칙들은 호의를 희망하고 노여움을 무서워하는 규정인데, 우리 같은 피조물과 삼라만상을 통치하는 통치자로부터 비롯되며, 또한 사람들에 대한 우리들의 동정심이나 애정에 관하거나 혹은 우리로 하여금 이기적인 결과와는 별개로 당신의 의지대로 행하도록 하는 신에 대한 사랑과 경외심과도 관계가 있지요. 도덕을 지키게 만드는 이 모든 동기가 다른 도덕 체계만큼이나 공리주의 도덕에도 완벽하고 강력하게 적용되지 못할 이유는 전혀 없습니다. 진실로 우리 같은 피조물을 도덕으로 이끄는 동기는 얼마나 많은 지적인 존재가 관련되느냐에 따라 적용돼야 합니다. 왜냐하면 인간은 행복을 원하기 때문이며, 이런 점은 만인의 행복 외에 다른 어떤 것을 도덕의 근거로 삼든 마찬가지이기 때문입니다. 또한 자기 자신의 실행이 아무리 어설프더라도 자신을 위해 타인이 어떤 행동이라도 나서기를 원하고 권하며, 그런 식으로 자신의 행복도 증진된다고 생각하기 때문입니다. 종교적인 동기와 관련해서 대다수 사람이 공언하듯이, 인간이 하느님의 선함을 믿는다면, 만인의 행복에 도움이 되는 것이 선함의 본질이거나 선함을 판단하는 유일한 기준이라고 생각하는 사람들은 하느님 또한 그렇게 인정하리라고 믿습니다.

따라서 외부 보상과 처벌은, 그것이 육체에 관한 것이든 정신에 관한 것이든, 또는 하느님에 의한 것이든 같은 인간에 의한 것이든, 하느님이나 같은 인간에게 사심 없이 헌신하도록 하는 인간 본성의 역량이 더해져서 공리주의 도덕을 실행하는 데 힘이 됩니다. 공리주의 도덕이 인정될수록 더욱 그러하겠지요. 그리고 공리주의 도덕이 강력해질수록 도덕 교육과 도덕으로 널리 교화하는 일은 더욱 그 목적에 맞게 됩니다.

지금까지 외부 벌칙에 대해 알아봤습니다. 우리의 의무 기준이 무엇이든지 간에 의무의 내부 벌칙도 매한가지입니다. 그건 우리 마음속에 생기는 하나의 감정입니다. 강도의 차이를 보이지만 의무를 위반했을 때 수반되는 일종의 마음의 고통입니다. 평범한 도덕적 소양을 갖춘 사람이라면 피할 수 없을 정도로 그 고통이 커지는 아주 심각한 경우도 있습니다. 아무런 사심 없이 의무라는 순수한 생각과 연결될 때 이런 감정은 양심의 본질이 됩니다. 어떤 특정 형태의 의무라든지 그저 부수적인 상황에만 이런 감정이 연결되는 것은 아니겠지요. 실제로는 복잡한 현상 속에서 존재하면서, 동정심에서, 사랑에서, 더나아가 공포에서, 모든 형태의 종교적 감정에서, 어린 시절이나 지나간 모든 삶에 대한 추억에서, 자존심이나 타인의 존경을 받고 싶은 욕구에서, 그리고 때로는 자기 비하에서도 비롯되는 많은 감정과 연관되어 온통 가려져 있습니다.

이런 지극히 복잡한 상황으로 말미암아 도덕 의무라는 관념이 신비주의처럼 되는 것을 나는 우려합니다. 다른 여러 사례에서도 나타나는 인간 정신의 경향 때문에 도덕 의무라는 관념이 이런 신비주의 성격에서 비롯된다고 생각하기 쉽지요. 이른바 신비주의 법이 있어서 그것이 도덕 의무를 만들어 내고 그 의무가 우리의 현재 경험에서 촉발되는 것이지, 이와 다르게는 적용될 수는 없다고 믿게 됩니다. 하지만 도덕 의무의 구속력은 일종의 감정 덩어리 속에 있고, 우리가 옳다고 여기는 기준을 어기려면 이 감정을 극복해야만 합니다. 그럼에도 불구하고 그 기준을 깨뜨린다면 아마도 나중에 양심의 가책이라는 형태로 나타날 것입니다. 양심의 속성이나 기원에 대해 우리가 어떤 이론을 택하든 본질적으로 양심을 이루는 것은 이런 감정의 덩어리입니다.

그러므로 모든 도덕률이 갖는 궁극의 벌칙은 (외부 동기를 제외한다면) 우리 자신의 마음속에 있는 일종의 주관적인 감정인 까닭에, 공리를 판단 기준으로 삼는 사람들에게는 그 특수한 기준의 벌칙이 무엇이냐는 질문이 전혀 당황스럽지 않습니다. 다른 모든 도덕 기준과 마찬가지로 인류의 양심에서 나오는 감정이라고 대답해도 좋을 것입니다.

양심에 호소하는 감정을 갖지 않은 사람들에게 이런 벌칙이 아무런 효과가 없다는 점은 의심할 여지가 없겠습니다만, 그렇다고 이 사람들이 공리주의 원리보다 다른 도덕원리에 더 순응하는 것도 아니지요. 이들에게는 외부 징벌들을 가하는 것 외에 어떤 종류의 도덕도 구속력을 갖지 못합니다. 양심에선 나오는 감정이 존재함은 인간의 본성상 사실이며, 이 감정을 충분히 키운 사람들에게 실제로 엄청난 위력이 발휘됨은 경험이 증명해 주지요. 다른 도덕 규칙에서도 그렇듯이, 공리주의 원리에서도 양심에서 생기는 감정을 아주 집중적으로 기르지 못할 이유가 전혀 없습니다.

그런데, 도덕에 따라 어떤 행동을 해야만 한다는 의무 속에서 초월적인 사실, 즉 '물자체[26]Things in themselves'의 영역에서 객관적으로 실재하는 것을 보는 사람이, 도덕을 인간의 의식에서만 존재하는 전적으로 주관적인 것으로 생각하는 사람보다 도덕을 더 잘 따를 것 같다는 경향이 있더군요.

하지만 이런 존재론의 관점에 대한 개인의 견해가 무엇이든 실제 그 사람을 자극한 힘은 그 자신의 주관적 감

---

[26] 칸트철학의 기본 개념 중의 하나이다. 감각 기관의 활동을 통해서는 인식할 수 없는 대상의 본모습을 뜻한다. 인간은 감각과 경험을 통해 사물을 파악하지만 이는 곧 개인의 감각과 경험을 통해 사물이 즉시 오염됨을 의미하기 때문에, 칸트철학에서 '물자체'는 경험과 지식의 한계를 초월한 상태에 놓인다. 칸트는 인간의 자유 의지와 자율을 전제하면서 경험과 주관적인 성향이나 감정과는 무관한 의무론적 도덕론을 주장하지만, 그 자유 의지와 자율이 물자체의 영역에 속하는 것으로 보기 때문에 그 뿌리와 내용은 알 수 없다고 한다. 이 단락의 '초월적인 도덕주의자들'은 칸트주의자를 가리키며, 여기서 밀은 양심이라는 도덕 감정을 외면하는 철학을 비판한다.

정입니다. 그리고 그 힘은 개인의 감정의 강도에 의해 정확히 측정됩니다. 의무가 객관적으로 실재하는 것이라고 믿는다 해도 하느님이 본질이라는 믿음보다 그 믿음이 강할 리는 없습니다. 그런데 하느님에 대한 믿음은 실제 받을 보상에 대한 기대와 처벌과는 별개로 오직 주관적인 종교 감정을 통해 그리고 그 감정에 비례해서 인간 행동에 영향을 미치지요.

도덕 법칙은 사심이 없는 한 항상 인간의 마음속에 있습니다. 초월적인 도덕주의자들은 법칙이 마음속에 존재하지 않으며 마음 밖에 뿌리를 두고 있다고 생각할 게 분명합니다. 어떤 사람이 스스로에게 '나를 구속하고 양심이라고 부르는 것은 내 마음속 감정일 뿐이야'라고 말할 수 있다면, 그 감정이 사라질 때 의무도 사라진다고 결론을 내릴 수도 있겠지요. 그 감정이 불편하다고 생각되면 무시하거나 없애버리려고 할 수 있습니다. 하지만 이런 위험이 공리주의 도덕에만 국한되는 것일까요? 도덕적으로 어떤 행동을 해야만 한다는 의무의 근원이 마음 밖에 있다고 믿으면 그 믿음이 도덕 감정을 강하게 만들어서 없애지 못하게 해줄까요? 사실은 정반대입니다. 대다수 사람의 마음속에서 양심이 쉽게 침묵당하거나 묵살될 수 있다는 점을 모든 도덕주의자가 인정하고 한탄하고 있습니다. 내가 양심을 따라야만 하는가? 이 질문은 공리의 원리를 들어본 적이 없는 사람들도 공리의 원리를 지지하는 사람들만큼이나 자주 던집니다. 이런 질문을 던질 정도로 양심의 감정이 약한 사람들이 양심을 따라야 한다며 긍정적인 답변을 한다면 그건 초월적인 이론을 믿기 때문이 아니라, 단지 외부 징벌 때문입니다.

현재의 목적을 생각해 볼 때, 의무감이 타고난 것인지 외부에서 주입된 것인지 정할 필요는 없습니다. 타고난 것이라고 가정한다면 의무감이 자연스럽게 부여되는 대상이 무엇인지 여전히 의문입니다. 왜냐하면 선천적인 의무 이론을 철학적으로 지지하는 사람들은 직관적인 인식이 도덕원리이며, 타고난 감정은 도덕의 내용이 아니라고 생각하기 때문입니다. 그런데 어떤 선천적인 것이 관건이라면 타고난 감정이 있어서 그게 타인의 쾌락과 고통에 관련된 감정이어서는 안 될 이유가 있겠습니까? 만약 직관적으로 의무를 요구하는 도덕원리가 있다면 타인의 쾌락과 고통에 대한 타고난 감정이 그렇다고 말하겠습니다. 그렇다면 직관적인 윤리학은 공리주의 윤리학과 서로 일치하게 될 것이며, 두 학파 사이에 논쟁은 더 이상 없겠지요. 심지어 직관적인 윤리학자들은 직관적으로 마땅히 해야만 하는 도덕 의무가 있다고 믿으면서도 이미 타인의 쾌락과 고통에 관련된 감정도 그중 하나라고 믿고 있거든요. 왜냐하면 도덕이라는 것은 같은 인간의 이익에 대한 배려에 크게 의존한다는 점에 대해 누구 하나 이의를 제기하지 않기 때문입니다. 그러므로 도덕에 따라 어떤 행동을 해야만 한다는 의무의 초월적인 기원에 대한 믿음이 내부 벌칙에 대해 어떤 부수적인 도움을 준다면, 내가 보기에 공리주의 원리가 이미 그 혜택을 보고 있는 것 같습니다.

다른 한편으로 내가 믿는 것처럼 도덕 감정이 타고난 것이 아니라 후천적으로 습득된 것이라고 해도 그런 이유로 도덕 감정이 부자연스러운 것도 아닙니다. 말하고, 생각하고, 도시를 건설하고, 땅을 경작하는 것은 인간이 후천적으로 습득한 능력이지만 자연스러운 일이지 않습니까? 사실 도덕 감정은 인간 본성의 일부가 아니며, 누구나 지각할 수 있을 만큼 우리 모두에게 있는 것은 아닙니다. 안타깝지만 이것은 도덕 감정의 기원이 초월적이라고 확고하게 믿는 사람들도 인정하는 사실입니다. 앞서 언급한 다른 후천적인 능력과 마찬가지로 도덕적인 능력이 인간 본성의 일부가 아니라고는 해도 그 본성에서 자연스럽게 나온 것이지요. 그래서 다소 미미한 수준이라도 후천적인 능력이 갑자기 저절로 생겨날 수도 있고, 수양을 통해 고도로 발달시킬 수도 있습니다. 그러나 유감스럽게도 외부 법칙들과 초기에 받은 감동의 영향력을 충분히 이용해야 거의 모든 방향으로 계발할 수 있습니다. 이렇게 영향을 미치는 요인들에서 비롯된 양심이 가진 온갖 위력으로도 도덕 능력이 인간 정신에 영향을 미칠 수 없을 거라고 생각한다면 이는 매우 어리석거나 해롭습니다. 공리의 원리가 인간 본성에 기초하지 않는다고 해도, 후천적인 것이 자연스럽게 발전하고 고도로 발달시킬 수 있다는 이야기는 공리주의 원리에도 적용될 터인데 공리주의만은 그렇지 않으리라는 생각은 모든 경험을 무시하는 처사겠지요.

하지만 도덕에 관해 연관되는 관념들moral associations은 완전히 인위적인 산물이기 때문에 지적인 문화가 계속되면 그 분석력이 점차 약화된답니다. 만약 의무감정이 공리와 연관시켜 생각했을 때 마찬가지로 자의적인 것처럼 보인다면, 만약 우리 본성이 도덕에 관해 연관되는 관념과 조화를 이루도록 주도하지 못하고 감정도 무력하다면 그래서 도덕관념을 기분 좋게 여기지 못하게 되고 우리로 하여금 타인의 마음속에 도덕적인 생각을 불러일으키지도(우리에게는 불순한 동기가 많으니까요) 우리 마음속에 간직하고 싶게도 만들지 못한다면, 간단히 말해 공리주의 도덕에 대해 호의적인 감정을 갖게 하는 자연스러운 토대가 마련되지 않는다면, 이런 도덕 연관념은 당연히 힘을 잃어버리겠지요. 아무리 교육을 통해 후천적으로 주입했어도 말이지요.

하지만 강력하고 자연스러운 감정의 토대가 존재합니다. 만인의 행복이 윤리적 기준으로 인정된다면 이 토대는 공리주의 도덕의 힘을 이루게 될 것인데요. 이 탄탄한 기반이 바로 인간이 가지고 있는 '사회 감정'이라는 토대입니다. 다시 말해 사회 감정이란 같은 인간과 결속하고 싶은 욕구입니다. 이런 욕구는 이미 인간 본성 속에 있는 강력한 원리이며, 다행히도 특별히 가르치지 않아도 문명이 발전할수록 더욱 강력해지는 경향을 보이지요. 사회로 연결되는 상태는 인간에게 아주 자연스럽기도 하고, 필요하며, 일상적입니다. 따라서 몇몇 이례적인 상황이나 스스로 사회와 분리해서 뭔가에 빠져 있는 게 아니라면 인간은 자신을 한 단체의 구성원으로 생각합니다. 인류가 미개한 자립의 상태에서 한층 더 벗어나게 되면서 이런 연관성은 갈수록 견고해집니다. 따라서 하나의 사회를 유지하기 위한 필수 조건은 모든 사람이 지니는 사회에 대한 생각과 더욱더 분리할 수 없는 부분이 되는 것이지요. 자신이 태어난 사회의 상황을 이해하는 그런 생각 말입니다. 이것은 곧 인간의 운명이기도 합니다.

이제 인간들 사이에 존재하는 사회는, 주인과 노예의 관계를 제외하고는, 분명 모든 사람의 이해관계를 고려해야 하며, 그 밖의 다른 것에 기반을 둘 수는 없습니다. 동등한 사람들 사이의 사회는 모든 사람의 이익이 동등하게 고려되어야 한다는 이해를 바탕으로만 존재할 수 있지요. 모든 문명국가에서 절대군주를 제외하고 모든 사람은 동등한 권리를 갖기 때문에, 누구나 어떤 사람과도 동등하다는 조건에 따라 지내야 한다는 의무가 생깁니다. 그리고 모든 시대를 거쳐 우리 인류는 어떤 사람과 동등하지 않는 조건에 따라 살아가는 건 영원할 수 없다는 방향으로 조금씩 전진해 왔습니다. 이런 식으로 차츰 사람들은 타인의 이익을 완전히 무시하며 지낼 수 없다는 생각을 하게 됩니다. 적어도 더 심각한 피해를 끼치지 않도록 해야 하지요. (단지 자신을 보호하기 위해서만) 피해를 막을 수 있게 지속적으로 견제하면서 말입니다. 또한 타인과 협력하고, (적어도 당분간은) 개인의 이익이 아니라 집단의 이익을 자신의 행동 목적으로 삼겠다고 마음먹는 일에도 익숙해집니다.

사람들이 협력하는 한, 서로의 목적은 일치합니다. 타인의 이익이 곧 자기 자신의 이익이라는 감정은 일시적으로나마 존재하지요. 사회의 유대가 더욱 강화되고 사회가 아주 건전하게 성장한다면 사람마다 실제로 타인의 안녕을 고려하는 데 더 큰 관심을 가지게 될 뿐 아니라, 자신의 감정을 타인의 이익과 점차 동일시하거나 적어도 타인의 이익을 훨씬 실질적으로 배려하는 마음과 같아지게 됩니다. 마치 본능인 양 당연히 타인을 배려하는 존재로 자신을 인식하지요. 우리의 물리적인 생존 조건처럼 타인의 이익은 자연스럽게 마땅히 관심을 기울여야 하는 것이 됩니다.

그렇다면 누군가 이런 감정을 얼마나 지니고 있든, 그 사람은 관심과 공감이라는 가장 강력한 동기에 자극을 받아서 도덕 감정을 표출하게 되겠고, 있는 힘을 다해 다른 사람들도 이 감정을 갖도록 독려할 것입니다. 설령 자신에게는 이런 감정이 없다고 해도 다른 사람들은 갖고 있어야 한다며 누구보다 큰 관심을 갖지요. 그 결과, 아주 작은 감정의 싹이라도 공감이 확산되고 교육의 영향에 힘입어 보호받고 자라납니다. 그리고 외부 징벌이라는 강력한 요인으로 감정을 둘러싸고 강화시키면서 완벽하게 짜인 도덕 그물망이 만들어집니다. 문명이 발전하면서 우리 자신과 인간의 삶에 대한 이런 방식의 생각은 점점 더 자연스럽게 느껴집니다. 정치 발전의 모든 행보도 이해관계의 대립을 부추기는 원인을 제거하고 개인이나 계층 간의 법적 불평등을 해소함으로써 이 방식을 더욱 자연스럽게 느끼도록 만듭니다. 이해관계의 대립과 개인이나 계층 간의 불평등은 인류 대다수의 행복이 여전히 등한시되는 이유이기 때문이지요

인류의 정신이 발전하면서 이런 영향력들은 끊임없이 커졌으며, 저마다의 마음속에 다른 구성원과의 일체감을 만들어냅니다. 만약 이 일체감이 완벽하다면 타인의 이익은 배제된 채 자기 자신에게만 유리한 조건을 생각하거나 바라는 일은 결코 없겠지요. 지금 우리가 이 일

체감을 하나의 종교로 가르칠 수 있다고 생각하거나 한 때 종교가 그랬던 것처럼 교육, 제도, 여론의 힘을 전부 모아서 모든 사람이 어렸을 때부터 이런 일체감을 공언하고 실천하는 상황에 완전히 둘러싸여 성장할 수 있다고 가정한다면, 이 개념을 알아볼 수 있는 사람은 누구도 행복이라는 도덕률Happiness morality에 대한 궁극의 벌칙을 충분히 느낄 수 있으리라고 나는 생각합니다.[27]

이 점이 쉽게 이해되지 않는 윤리학도가 있다면 이해를 돕기 위해 콩트[28] 의 두 번째 주요 저작인 〈실증정치학 개론Traite de Politique〉을 추천합니다. 나는 그 책에서 제기하는 정치와 도덕 체계에 대해서는 누구보다도 강력하게 반대하는 마음이기는 합니다만, 신의 섭리에 대한 믿음이 없어도 종교가 주는 심리 영향과 사회에 가져오는 효과가 인류에게 도움이 될 가능성을 그 책이 충분히 보

---

[27] 그런 도덕률을 어겼을 때 제도적인 처벌과 여론의 비난을 받을 뿐만 아니라, 자기 양심에서 생기는 죄의식과 그로 말미암은 양심의 고통을 느끼게 된다는 의미이다.

[28] Auguste Comte 1789~1857. 프랑스의 철학자, 수학자, 사회학자.

여준다고는 생각합니다. 인간의 삶을 제대로 포착하면서, 그저 본보기나 맛보기 방식으로 모든 생각과 감정과 행동에 종교가 크게 영향을 미칠 수 있음을 보여주지요. 종교의 위험은 그 영향력이 충분하지 않아서가 아니라 너무 과도한 탓이며, 그런 나머지 인간의 자유와 개성을 부당하게 침해한다고 말합니다.

공리주의 도덕의 구속력을 구성하는 일체감이 공리주의를 인정하는 사람들에게 필수 요소는 아니며, 인류 전체가 공리주의 도덕의 의무를 느끼게 하도록 그런 사회의 영향력을 기다리는 것도 필수는 아닙니다. 지금 우리가 누리고 있는 인류의 진보에서 비교적 초기 단계에서는 한 사람이 다른 모든 사람과 완전한 공감을 느낄 수 없었습니다. 감히 다른 사람들의 이익을 해치는 행동이 불가능했을 테니까요. 하지만 사회 감정이 온전히 발달한 사람은 타인에 대해 행복의 수단을 얻기 위해 자신과 다투는 경쟁자라고 생각할 수 없고, 자신의 행복을 얻기 위해 분명 타인의 목적이 좌절되는 것을 바라지도 않습니다. 모든 개인은 스스로 사회적 존재라고 하는 뿌리 깊은 관념을 갖고 있습니다. 그래서 자신의 감정과 목표가 타인의 감정과 목표와 조화를 이뤄야만 한다는 자연스러운 욕구를 느낍니다. 견해와 정신 수양의 차이로 타인이 느끼는 실제 감정의 많은 부분을 공유할 수 없거나 혹시 타인의 감정을 비난하거나 무시하는 일이 있을지라도 여전히 자신의 실제 목표와 타인의 목표가 대립하지 않기를 바라지요. 타인이 진정 바라는, 즉 타인의 미덕을 반대하는 게 아니라 오히려 타인의 미덕을 증진시키려는 감정입니다.

내다수 개인에게 이런 감정은 이기적인 감정보다 훨씬 미약하며, 때로는 아예 없는 경우도 있습니다. 하지만 이런 감정을 가진 사람이 보기에 일체감에는 자연스러운 감정의 모든 특징이 들어 있습니다. 그들의 마음속에는, 일종의 미신 같은 교육이나 사회적 권력이 강압적으로 지운 법이 아니라, 없어서는 안 될 하나의 속성으로 각인되지요. 이런 확신이야말로 최대 행복의 도덕률이 가진 궁극의 벌칙입니다. 성숙한 감정을 가진 사람의 마음은 타인을 배려하도록 하는 외부 동기와 어긋나지 않고 조화를 이루도록 합니다. 이 외부 동기는 내가 말한 외부 벌칙들[29]에 의해 주어집니다. 이런 벌칙들이 없거나 정반대 방향으로 작용할 때, 일체감은 각자의 민감함과 사려 깊음에 비례해서 강력한 내적 구속력[30] 을 구축합니다. 도덕적으로 백치인 사람이 아니고서야 타인에 신경을 쓰지 않겠다고 계획을 짜서 인생을 살아갈 수는 거의 없기 때문입니다. 어쩔 수 없이 자기 자신의 이익을 챙겨야 하는 경우가 아니라면 말이지요.

---

[29] 교육과 여론, 법률과 제도 등의 강제력으로 도덕을 어기는 행위를 벌하는 것을 뜻한다.

[30] 사회적 감정에 의해 형성된 타인에 대한 관심과 공감이 개인의 행위에 미치는 영향력을 말한다.

제4장
공리의 원리는
어떻게 증명할 수 있는가?

행복의 일부나 행복의 수단이 되는 것만이
바람직한 유일한 것입니다. 그렇다면 행복
은 인간 행동의 유일한 목적이지요.

행복의 증진이
모든 인간 행위를 판단하는 기준입니다.

이미 이야기한 것처럼[31], 궁극 목적에 관한 질문은 이 용어의 통상적인 의미만으로는 증명하는 게 여의치 않습니다. 추론으로 증명할 수 없다는 것은 모든 1차 원리의 공통점입니다. 우리 행동뿐 아니라 우리 지식의 1차 전제도 마찬가지입니다. 하지만 지식의 1차 전제는 사실에 관한 문제라서 사실을 판단하는 능력, 즉 우리의 감각과 내부 의식에 직접 호소하는 주제일 수는 있습니다. 행위의 목적에 관한 질문에 대해서도 동일한 능력에 호소할 수 있을까요? 아니면 그건 다른 능력일까요?

목적에 관한 질문은 다른 말로 하면 무엇이 바람직한 것인가를 묻는 질문이지요. 공리주의 이론에서는 행복은 목적으로서 바람직한 것이며, 행복만이 목적으로서 유일하게 바람직하다고 말합니다. 다른 모든 것은 저 목적을 달성하기 위한 수단으로서 바람직할 뿐입니다. 이런 주장을 믿게 하려면 공리주의 이론에 필요한 것은 무엇이며, 공리주의 이론은 어떤 조건을 충족시켜야 하는 걸까요?

---

31 제1장 30~31쪽을 참고

어떤 대상이 눈에 보인다는 점을 증명할 수 있는 유일한 증거는 사람들이 실제 그것을 본다는 것이지요. 소리가 들린다는 것의 유일한 증거는 사람들이 그 소리를 듣는 다는 것입니다. 우리 경험의 다른 근거도 그렇게 증명할 수 있습니다. 마찬가지로 어떤 것이 바람직함을 증명하 기 위해 내세울 수 있는 유일한 증거는 사람들이 그것을 실제로 바란다는 점입니다. 만약 공리주의 이론이 제시 한 목적이 이론적으로나 실제적으로나 하나의 목적으 로 인정받지 못한다면 그 무엇도 그게 목적이라고 사람 들에게 확신시킬 수 없겠지요. 인간이란 행복이 달성될 수 있다고 믿는 한에서 자기 자신의 행복을 바랍니다. 그렇지 않고서 어떻게 만인의 행복이 바람직한지 설명 할 수 있겠습니까? 하지만 우리 인간은 실제로 행복을 바라기 때문에, 우리는 행복이 선함이라는 주장, 각자의 행복은 각자에게 하나의 선함이며 따라서 만인의 행복 은 모든 사람에게 선이라는 주장을 입증할 수 있는 증거 뿐 아니라 입증에 필요한 증거도 모두 갖고 있는 셈입니 다. 행복은 행동의 목적 가운데 하나로서, 따라서 도덕 기준의 하나로 자리매김했습니다.

그러나 사람들이 실제로 행복을 바란다는 사실만으로

는 행복이 도덕의 유일한 기준임을 증명한 건 아니지요. 그것을 증명하려면 동일한 규칙에 의해 사람들이 행복을 바란다는 것뿐 아니라 행복 외에 다른 어떤 것도 바라지 않음을 보여줄 필요가 있을 것 같습니다. 이제 사람들이 일상 언어로 행복과는 확연히 구별되는 무언가를 바란다는 점이 손에 잡히는군요. 예를 들어 사람들은 고통이 없는 상태나 쾌락 못지않게 악이 없는 상태와 덕행virtue을 바랍니다. 덕행에 대한 욕구는 행복에 대한 욕구만큼 보편적인 것은 아니더라도 믿을 만한 사실입니다. 그래서 공리주의 기준을 반대하는 사람들은 이런 사실을 근거로 인간 행동의 목적에는 행복 이외에 다른 것이 있으며, 행복이 찬성과 반대를 판단하는 기준이 아니라고 합니다.

하지만 사람들이 덕행을 바란다는 사실을 공리주의 이론이 부인이라도 합니까? 덕행은 바람의 대상이 아니라고 주장하는 걸까요? 그 정반대입니다.

공리주의는 덕행이 바라는 대상이 되어야 할 뿐 아니라 그 자체로 사심 없이 바라야 한다고 주장합니다. 공리주의 도덕주의자들이 덕행을 덕행으로 만드는 근본 조건에 대해 어떤 견해를 가지든, 아무리 그들이 덕행이 아니라 그것과 다른 목적을 좇기 때문에 인간의 행동과 성향이 고결해지는 것임을 믿는다 해도(사실 그렇게 믿고 있습니다), 무엇이 고결한 일인지 잘 해설함으로써 덕행이라고 승인될 때, 공리주의자들은 그 덕행을 궁극적 목적을 달성하는 수단 가운데 가장 높이 평가할 뿐 아니라, 개인에게는, 덕행이 그보다 더 우월한 다른 목적을 살펴볼 것도 없이 그 자체로 선한 것으로 여겨질 가능성을 심리적인 사실로서 인정합니다. 또한 공리주의자들은, 만약 덕행을 이런 방식으로 좋아하지 않는다면, 인간의 정신은 정상이 아니게 되고, 공리를 따를 수도 없고, 만인의 행복에도 아주 도움이 되지 못한다고 생각합니다. 비록 개별 사례에 관한 일이지만, 그 자체로 바람직한 것으로 보일 때라면 다른 바람직한 결과들을 만들어내지 못해도, 덕행에 의해 뒷받침되고 있지 않느냐는 견해도 있지요. 이런 견해는 행복의 원리에서 조금도 벗어나지 않습니다. 행복을 구성하는 요소는 아주 다양하지요. 각 요소는 그 자체로 바람직합니다. 그저 총합을 늘리려고 하지 않고서도 말입니다. 공리의 원리는 음악처럼 특정 쾌락이나 혹은 건강처럼 고통이 없는 특정 상태를 행복이라고 부르는 집합적인 뭔가를 달성하기 위한 수단이 아닙니다. 그런 이유 때문에 좇아야 하는 건 아닙니다. 음악과 건강은 그 자체로 바람의 대상이고 바람직하지요. 수단이면서 동시에 목적의 일부라는 것입니다. 공리주의 이론에 따르면, 덕행은 처음부터 당연히 목적의 일부인 건 아닙니다. 그렇게 될 수 있는 것이지요. 사심 없이 덕행을 좋아하는 사람에게 덕행은 목적의 일부가 되고, 행복의 수단이 아니라 행복의 한 부분으로서 바라고 소중히 여깁니다.

이 점을 좀 더 설명하기 위해서 우리는 덕행이 처음부터 수단이 되는 건 아니라는 점, 만약 덕행이 다른 어떤 것의 수단이 아니라면 무관심의 대상으로 남아있겠지만, 덕행을 수단으로 삼는 대상과의 연관성에 의해 덕행 그 자체를 바라게 되고 그것도 아주 강렬하게 바랄 수도 있게 된다는 점을 기억하면 좋겠습니다.

가령 금전욕에 대해 뭐라고 말해야 할까요? 반짝이는 조약돌보다 돈이 본래부터 더 바람직한 것은 아닙니다. 돈의 가치는 돈으로 살 수 있는 것의 가치일 뿐입니다. 돈 그 자체보다는 다른 것에 대한 욕구이며, 그 욕구를 충족시키는 수단입니다. 하지만 금전욕은 인간의 삶을 움직이는 가장 강력한 원동력 중 하나일 뿐 아니라 많은 경우 돈 그 자체가 욕구의 대상이 됩니다. 돈을 소유하려는 욕구가 돈을 사용하려는 욕구보다 강한 경우가 잦습니다. 돈을 능가하며 돈을 사용할 목적이 되는 온갖 욕망이 줄어들어도 돈에 대한 소유욕은 자꾸 커집니다. 이렇다 보니 목적을 위한 수단으로서가 아니라 목적의 일부로 돈을 바란다고 말할 수 있겠지요. 처음에는 행복의 수단이었던 것이 그 자체로 개인이 생각하는 행복 개념에서 중요한 요소가 된 것입니다.

인생의 위대한 목적 대부분도 마찬가지일 것입니다. 예를 들어 권력이나 명예도 그렇습니다. 권력이나 명예에는 어느 정도 즉각적인 쾌락이 따라오며, 적어도 본래부터 그 안에 쾌락적인 면이 있는데, 이건 돈에서는 볼 수 없었지요. 하지만 그럼에도 불구하고 권력과 명예가 가진 가장 강력한 매력은 우리의 다른 소망을 성취하는 데 어마어마한 도움을 준다는 점입니다. 그렇게 권력과 명예, 그리고 우리의 모든 욕망 대상 사이에 강력한 연관성이 형성되고, 흔히 이 연관성에 의해 권력과 명예에 대한 노골적인 욕구가 더욱 강렬해져서 어떤 사람들에게는 다른 모든 욕망을 능가할 정도라고 생각합니다. 이런 경우 수단은 목적의 한 부분이 되고, 그것을 수단으로 삼는 어떤 것보다도 더 중요하게 목적의 일부분이 되지요. 한때 행복을 성취하기 위한 도구로 바랐던 것이 그 자체로 바람의 대상이 되었습니다. 목적은 그 자체로 바람의 대상이기는 하지만, 행복의 일부로서 바람의 대상이 되는 것입니다. 사람들은 목적을 가진다는 것만으로 행복해지거나 행복해질 거라고 생각하며, 목적을 달성하지 못하면 불행해집니다. 목적에 대한 욕망은 행복에 대한 욕망과 다르지 않으며, 음악에 대한 사랑이나 건강하고 싶은 바람 못지않습니다. 음악에 대한 사랑이나 건강하고 싶은 바람은 행복에 포함되며, 행복해지고 싶은 욕구를 구성하는 요소들 중 일부이지요. 행복은 추상적인 관념이 아니라 구체적인 총합체입니다. 따라서 행복해지고 싶은 욕망을 구성하는 요소들은 행복의 일부입니다. 공리주의 기준은 행복이 그렇게 구성된다고 인정하고 승인합니다.

만약 이런 자연의 섭리가 없었다면 인생이란 초라하겠지요. 우리의 원초적인 욕망을 만족시키는 데 변변치 못해도 도움을 주거나 아니면 관련이 되는 대상들이 있어서, 만약 그 대상들이 원초적인 쾌락들보다 지속성에서나 인간 사회에 미치는 영역에서나 심지어 강도 면에서 더욱 가치 있는 쾌락의 근원이 되지 못한다면, 행복을 느낄 수 있는 일은 형편없이 부족했을 겁니다.

공리주의 개념에 따르면, 덕행이란, 쾌락을 얻는 데 도움이 된다는 점, 특히 고통으로 벗어나는 데 도움이 된다는 점에서 선함에 해당합니다. 그런 점들을 제외한다면 애당초 덕행에 대한 욕구나 동기는 존재하지 않습니다. 하지만 이렇게 형성된 연관성을 통해 덕행은 그 자체로 하나의 선함으로 느껴지고, 다른 선함과 마찬가지로 아주 강렬히 원하게 될 수 있습니다. 금전욕, 권력욕 혹은 명예욕과 덕행의 차이점이 여기에 있습니다. 금전욕, 권력욕, 명예욕은 개인으로 하여금 그가 속한 사회의 다른 구성원에게 해로운 존재가 되게 하는 경우가 잦지요. 반면 덕행에 대한 사심 없는 사랑을 키운 사람은 사회 구성원들에게 일종의 축복 같은 존재입니다. 결론적으로 공리주의 기준은, 이런 후천적으로 습득한 욕망이 만인의 행복을 증진하기보다는 오히려 해가 되는 수준에 이르기까지 묵인하고 인정하기도 하지만, 만인의 행복을 달성하는 데 그 무엇보다 중요한 것으로서 덕행에 대한 사랑을 최대한 강력하게 키울 것을 명령하고 요구합니다.

앞서 살펴본 바를 통해, 행복을 제외하면 실제로 사람들이 바라는 것은 없다는 결론에 이릅니다. 더 높은 어떤 목적, 궁극으로는 행복에 이르는 수단이 아닌 다른 무엇인가를 바란다면 무엇을 바라든 그건 그 자체로 행복의 일부분을 원하는 것입니다. 그리고 행복의 일부분이 되기 전까지는 수단 자체를 바라지 않습니다. 무엇이든 그것 자체가 아닌 어떤 목적이나 궁극으로 행복의 수단으로만 바란다면 그건 행복의 한 부분으로 원하는 것일 뿐입니다. 행복의 일부분이 되기 전에는 수단 자체만을 바라지 않습니다. 스스로 덕행을 바라는 사람들이 덕행을 욕망하는 것은, 덕행이라는 관념이 쾌락이기 때문이거나 덕행 없이 살아가는 건 고통이기 때문이거나 아니면 그 두 가지의 이유가 합쳐졌기 때문입니다.

사실 쾌락과 고통은 따로 떨어져 존재하는 일이 드물고 거의 항상 함께 존재하지요. 덕행을 쌓은 만큼 쾌락을 느끼는 그 사람은 덕행을 더 많이 쌓지 못했다는 이유로 고통을 느낍니다. 만약 덕행을 많이 쌓았지만 쾌락을 느끼지 못하거나 덕행을 쌓지 못했지만 고통을 느끼지 않는다면, 사람들은 덕행을 좋아하거나 바라지 않을 것이며, 자기 자신이나 자신이 좋아하는 사람들에게 생길 수 있는 다른 이익을 위해서만 덕행을 바라게 되겠지요.

이제 우리는 공리의 원리를 어떻게 증명할 수 있는가의 질문에 답할 수 있습니다.

지금까지 내가 언급한 견해가 심리학적으로 옳다면, 그러니까 인간의 본성은 본래 행복의 일부나 행복의 수단이 되는 것이 아니면 어떤 것도 바라지 않는다면, 그것 말고는 다른 증거가 있을 수도 필요하지도 않습니다. 행복의 일부나 행복의 수단이 되는 것만이 바람직한 유일한 것입니다. 그렇다면 행복은 인간 행동의 유일한 목적이지요. 그리고 행복의 증진이 모든 인간 행위를 판단하는 기준입니다. 이로부터 행복이 도덕 판단의 기준이 되어야 한다는 당연한 결과가 나옵니다. 왜냐하면 부분은 전체에 포함되니까요.[32]

이제 이것이 정말로 그런 것인지 결정하기 위해서, 즉 사람들은 자신에게 쾌락이 되는 것이나 쾌락이 없어서

---

[32] 그러므로 덕은 행복에 포함되는 부분집합 관계에 있다.

고통을 느끼는 것이 아니라면 그 어떤 것도 스스로 바라지 않는 것인지 판단하기 위해서 우리는 분명 사실과 경험의 문제에 도달했습니다. 모든 비슷한 문제들이 그렇듯이 증거가 필요한 문제였지요. 이 문제는 숙련된 자기의식과 자기 관찰에 더해 타인의 관찰이 있어야만 해결할 수 있습니다. 나는 어느 한쪽에 치우치지 않고 구한 이런 증거들이, 어떤 대상을 바라기 때문에 거기서 쾌락을 찾는 것과 무엇인가를 혐오하기 때문에 고통스럽다고 생각하는 것은 전적으로 서로 불가분의 현상이거나 오히려 동일한 현상의 두 가지 부분이라는 점을 밝혀주리라 믿습니다. 엄밀히 말하면 동일한 심리적 사실을 부르는 두 가지 다른 방식입니다. 어떤 대상을 바람직하다고 생각하는 것(그 대상이 가져오는 결과 때문에만 그런게 아니라면 말이지요)과 그것을 쾌락으로서 생각하는 것은 동일합니다. 그리고 무엇인가를 떠올리는 게 쾌락이 된다는 점을 빼 버린 채 그 무엇을 바란다는 건 물리적으로나 형이상학적으로 불가능한 일이지요.

이 점은 내게 아주 명백해 보이기 때문에 더 논의할 것이 없다고 생각해요. 반론이 있겠지요. 아마도 그건 고통으로부터의 해방이나 쾌락을 제외하고도 궁극적으로 다른 것을 향할 수 있는 욕망에 관한 반론이라기보다는, 의지는 욕망과는 다르다는 반론이 아닐까 합니다. 덕을 확고하게 갖춘 사람이나 목적이 뚜렷한 사람이라면 자신의 목적을 깊이 생각하면서 갖게 되는 쾌락이라거나 목적 달성으로 얻을 거라 기대하는 쾌락은 전혀 생각하지 않고도 자기 목적을 실행한다고 반박하겠지요. 그런 사람은 성격의 변화 탓이건 외부에 대한 감성의 쇠퇴 탓이건 쾌락이 크게 줄어들지라도 여전히 목적을 좇으면서 행동하는 것을 그만두지 않는다고 말입니다.

나는 이런 모든 반론에 전적으로 동의합니다. 다른 곳에서 이 점을 그 누구 못지않게 명확하고 단호하게 언급한 적이 있습니다. 의지는 능동적인 현상임에 비해 욕망은 외부로부터 영향을 받는 감성의 상태이며, 이 둘은 서로 다릅니다. 의지는 본래 욕망으로부터 나온 곁가지였지만, 시간이 가면서 그 근간으로부터 떨어져 나와 뿌리를 내릴 수도 있습니다. 그러므로 습관적인 목적의 경우에는, 우리가 그 목적을 바라기 때문에 달성하려는 의지가 생기는 게 아니라 우리가 그 목적을 의지하기 때문에 그 목적을 바라기도 합니다. 하지만 이것은 습관의 힘이라는 익숙한 사실에 대한 사례에 불과합니다. 결코 고결한 행동의 경우에만 국한되는 것은 아니지요. 사람들은 처음에 어떤 동기에서 했던 평범한 여러 가지 일을 습관처럼 계속합니다. 때로 무의식적으로 하며, 행동하고 난 뒤에야 의식하는 경우도 있습니다. 어떤 경우에는 의식적으로 의지를 갖고 하지만, 이런 의지도 습관으로 형성되어서 흔히 부도덕하거나 해로운 탐욕의 습관에 빠진 사람들에게 일어나는 것처럼 아마도 신중하게 생각해서 어떤 행동을 선택하는 것이 아니라 그냥 습관의 힘에 따라 움직입니다.

마지막으로 세 번째 반론은 의지에 따른 습관적인 행동이 일반적인 의도에 모순되기보다는 그 의도를 이행하는 개인적인 사례를 듭니다. 덕을 확고하게 갖춘 사람이나 확실한 목적을 신중하고 일관되게 추구하는 모든 사람의 경우가 그렇지요. 그러므로 의지와 바람은 분명히 다르다는 것이며, 그 핵심은 다음과 같은 심리학적 사실입니다. 의지란 우리 신체를 구성하는 다른 모든 부분과 마찬가지로 습관에 영향을 받는다는 점과, 우리가 더 이상 그 자체는 욕망하지 않는 대상을 습관 때문에 의지한다거나, 우리가 단지 그걸 의지하기 때문에 욕망할 수 있다는 생각입니다.

하지만 의지가 처음에는 온전히 욕망에 의해 생긴다는 점은 분명합니다. 욕망이라는 말에는 쾌락을 유인하는 힘뿐 아니라 고통을 물리치는 힘이 들어있지요. 옳은 일을 하겠다는 확고한 의지를 가진 사람의 경우보다는 도덕적인 의지가 아직 미약하고 유혹에 넘어가기 쉽고 완전히 신뢰할 수는 없는 사람의 경우를 생각해 봅시다. 어떤 방법으로 의지를 강하게 다질 수 있을까요? 도덕적인 의지가 충분한 힘을 갖지 않은 경우 어떻게 하면 그 의지를 심어주거나 깨울 수 있을까요? 그 사람이 덕행을 욕망하도록 하는 방법밖에는 없습니다. 쾌락이라는 빛 속에서 덕행을 생각하게 하고 덕이 없는 건 고통스러움 속에서 생각하도록 만드는 것입니다. 옳은 일을 하면 쾌락이 연상되고 옳지 않은 일을 하면 고통이 연상되게 하거나, 전자의 경우에는 자연스럽게 쾌락이 수반되고 후자의 경우에는 고통이 동반됨을 그 사람의 경험 속에 분명하게 각인시켜서 깨닫게 하는 방법입니다. 이런 방법으로 의지가 확고해진다면, 쾌락이나 고통에 대한 생각을 하지 않고도 발휘되는 도덕적인 의지가 생길 수 있습니다. 의지는 욕망의 자식이며, 그 부모의 지배를 벗어나면 결국 습관의 지배 아래에 들어갑니다. 습관의 결과라는 건 본질적으로 선함을 추정하게 해주지는 못하지요. 의지가 습관이 될 때까지 실수를 범하지 않고 꾸준히 행동하는 데 덕행을 촉진하는 쾌락과 고통의 연상 작용이 미치는 영향력이 필요하다면, 덕행을 좇는 일은 쾌락과 고통과 무관해야만 한다고 바랄 이유가 없습니다. 감정과 행동 양쪽에 확실성을 부여하는 것은 습관뿐입니다. 옳은 일을 하려는 의지가 이처럼 습관이 되어야 하는 이유는 타인에게 중요한 것이 누군가의 감정과 행동에 전적으로 의존할 수 있기 때문이기도 하고, 자기에게 중요한 것이 자기 자신의 감정과 행동에 의존할 수도 있기 때문입니다. 다시 말해서 이런 의지의 상태는 선함을 위한 수단이지 본질적으로 선은 아닙니다. 그리고 이런 견해는, 그 자체로 즐거움을 주거나 또는 쾌락을 얻거나 고통을 피하는 수단이 되는 것이야말로 인간에게 선이며, 그렇지 않은 선함은 있을 수 없다는 이론과도 모순되지 않습니다.

이 이론이 거짓이 아니라면 공리의 원리는 증명된 셈입니다. 과연 그런지 아닌지는 신중한 독자들의 판단에 맡겨둬야겠습니다.

제5장
정의와
공리의 관계에 관하여

정의의 개념은 사람마다 다릅니다.
그리고 정의의 개념은 다양하면서도 항상
공리의 개념을 따릅니다.

이론의 역사를 통틀어 '공리' 또는 '행복'이 옳고 그름의 판단 기준이라는 이론을 받아들이지 못하도록 하는 가장 강력한 장애물 중 하나는 정의Justice의 개념에서 비롯되었습니다.[33] 정의라는 말은 일종의 본능과 비슷하게 강력한 정서와 명료해 보이는 개념을 즉각 연상시킵니다. 대부분의 사상가에게는 정의가 사물에 내재하는 속성을 가리키는 것처럼 보였습니다. 정의로운 것the just은, 모든 종류의 편의적인 것the Expedient과 그 속성상 구별되는 어떤 절대적인 것으로서 본질Nature로 존재해야 함을 보여주는 것 같았습니다. 하지만 (흔히들 인정하는 것처럼) 결국에 보면 실제 정의와 편의는 결코 분리되지 않

[33] 행복론인 '공리'가 특정 상황과 사람에 따라 다르게 평가 될 수밖에 없는 반면, '정의'는 불변하는 속성을 가진 것처럼 인식되므로, 공리를 내세우면 정의를 위협할 수 있다는 논리가 생긴다는 것. 밀은 이 장에서 우리가 아는 정의도 다양하며 사람마다 다르기 때문에 결국 공리와 정의가 서로 모순되지 않음을 구체적인 사례를 들어 밝힌다. 그리고 도덕 감정과 정의 감정을 서로 연결하면서 정의의 문제도 공리의 관점으로 다룰 수 있음을 주장한다.

습니다.

우리의 다른 도덕 감정과 마찬가지로 정의의 기원에 관한 문제와 그 구속력의 문제 사이에 필연 관계가 있지는 않습니다. 어떤 감정이 우리에게 타고났더라도, 충동적으로 만들어내는 모든 상황을 그 감정이 정당화할 수는 없지요. 정의 감정이 특이한 본능일지 모르지만, 우리의 다른 본능과 마찬가지로 보다 높은 이성에 의해 통제되고 계발될 필요가 있습니다. 우리에게 특정 방식으로 행동하도록 자극하는 동물적인 본능뿐 아니라 특정 방식으로 판단하도록 유도하는 지적인 본능이 있다고 가정해 보지요. 각각의 영역에서 반드시 동물적인 본능보다 지적인 본능이 오류가 없어야만 하는 걸까요? 동물적인 본능 때문에 그릇된 행동을 할 수 있는 것처럼, 때로 지적인 본능 탓에 그릇된 판단을 내릴 수도 있습니다.

우리에게 타고난 정의감이 있다는 믿음과 정의감을 행동의 궁극적인 판단 기준으로 인정함은 별개의 문제입니다만, 이 두 견해는 사실상 아주 밀접하게 연결되어 있지요. 우리 인간은, 별다른 이유가 없는 한, 자기의 주관적 감정이 객관적으로 실재하는 것을 나타낸다고 항상 믿는 경향이 있습니다. 정의 감정을 일으키는 그런 객관적인 실재가 특별히 드러나는 것인지, 또한 어떤 행동이 정의롭다거나 정의롭지 않다는 것이 그 행동의 다른 모든 속성과는 본질적으로 구분되는 독특한 특징인지, 아니면 단지 어떤 일부 특징이 특이하게 결합된 것인지를 판단하는 게 우리의 당면한 목표입니다. 이런 탐구를 위해 정의와 불의에 대한 감정 자체가 독특한 것인지, 아니면 다른 감정이 결합해서 만들어진 파생된 감정인지 판단하는 게 실제 중요합니다. 색과 맛에 대한 우리의 감각처럼 말이지요. 사람들이 쉽게 인정하는 것처럼, 정의의 명령과 편의 일반이 서로 일치하는 영역을 객관적으로 살펴보는 일도 또한 필요합니다. 하지만 정의에 대해 개인이 갖는 정신적인 감정은 단순한 편의성에서 발견되는 흔한 감정과는 다르며, 행동을 명령하는 힘도 극단적인 경우를 제외하면 편의적인 감정보다 훨씬 강하지요. 그렇기 때문에 공리 일반의 특별한 종류나 그 일부를 정의에서 잘 찾아내지 못하는 사람들이 생각하기를, 정의에 관한 감정은 그 뿌리가 완전히 달라서 더 우월한 구속력을 갖는다고 생각하더군요.

이 문제를 설명하기 위해서, 정의의 특징이 무엇인지,

혹은 불의의 특징이 무엇인지 확인할 필요가 있습니다. 정의롭지 못한 것으로 규정된 모든 행동 양식에 공통으로 들어있다는 속성은 무엇인지, 또는 그것이 과연 어떤 속성으로 존재하는지 (정의에 관해서는, 다른 많은 도덕적 특성과 마찬가지로, 그 반대되는 속성으로 가장 잘 설명할 수 있답니다), 그리고 비난의 꼬리표가 붙지는 않더라도 사람들이 인정하지 않는 행동 양식과, 정의롭지 못한 행동 양식들을 어떻게 구별할지에 대해 확인하는 작업입니다. 사람들이 익숙하게 정의롭다거나 또는 정의롭지 못하다고 특징짓는 모든 것 중에서 어떤 공통된 속성이나 속성의 집합이 항상 나타나는 경우를 생각해 보겠습니다. 그런 공통된 속성이나 그런 속성들의 집합이 우리네 감정 구성이 지니는 일반 법칙들의 힘을 통해 독특한 특징과 강도의 감정을 그 주변으로 끌어모을 수 있는지, 아니면 그런 감정은 설명할 수 없으며 자연의 특별한 섭리로 간주되어야 하는지를 판단해야겠지요. 만약 전자의 경우라면 우리는 그 질문에 답하면서도 동시에 핵심 문제를 해결하게 될 것입니다. 반면 후자의 경우라면 핵심 문제를 조사하는 다른 방법을 찾아야겠습니다.

다양한 대상에 들어있는 공통된 속성을 찾기 위해 우선 그 대상 자체에 대한 자세한 조사가 필요하군요. 그러므로 보편적이거나 광범위하게 알려진 견해에 의해 정의로운 것이나 정의롭지 못한 것으로 분류된 다양한 행동 양식과 인간만사를 차례대로 언급해 보겠습니다. 정의롭다거나 정의롭지 못함을 연상시키는 감정을 자극하는 것으로 잘 알려진 사례들의 특징은 매우 다양합니다. 나는 그 특징을 세밀히 살펴보는 대신 전체를 빠르게 훑어볼 생각입니다.

첫째, 한 사람의 개인적인 자유, 재산 또는 법으로 귀속된 것을 빼앗는 일은 대체로 정의롭지 못한 것으로 생각합니다. 따라서 이것은 정의와 불의라는 용어가 아주 정확한 의미로 적용되는 사례입니다. 즉, 어떤 사람의 법적 권리를 존중하는 것은 정의롭고, 그 권리를 침해하면 정의롭지 못합니다. 하지만 이런 판단은 정의와 불의의 개념 자체가 나타나는 다른 형식으로 말미암아 몇 가지 예외를 허용합니다. 예를 들어 자격 박탈로 고통을 겪는 사람은 그 권리를 (말 그대로 말이지요) 몰수당한 것일지도 모릅니다. 이 문제는 바로 살펴보겠습니다.

둘째, 그 사람이 빼앗긴 법적 권리는 애당초 그 사람에게 귀속되지 말았어야 하는 권리일지도 모릅니다. 다시 말해 그에게 이런 권리를 부여한 법이 악법일 수도 있습니다. 그렇다면, 혹은 (우리의 목표를 감안하면 똑같습니다만) 그렇다고 생각되는 경우라면 권리 침해가 정의인지 불의인지 판단하는 의견은 제각각이겠지요. 어떤 사람은 아무리 악법이어도 개개의 시민이 지키지 말아야 하는 법은 없다고 주장합니다. 그 법에 반대하는 입장을 제대로 보여주려면 합법 권한이 있는 당국에 의해 법이 바뀌도록 노력하는 데에서만 밝혀야 한다는 견해입니다. 이런 견해는 (인류의 가장 위대한 위인들 중 많은 이를 형벌에 처하고, 악독한 체제를 보호하기 위해 당시 상황에서 그 체제에 대항하여 성공할 가능성이 있는 유일한 공격을 꺾는 데 자주 써먹었지요) 편의라는 이유로 지지자들에 의해 옹호를 받습니다. 무엇보다도 법에 복종하는 정서를 함부로 깨뜨리지 않도록 유지하는 것이 인류 공통의 이익에 중요하다는 게 그들의 이유입니다. 다른 한편으로는 정반대 의견을 주장하는 사람들도 있습니다. 악법으로 판단된 법은 떳떳하게 어길 수 있다고 주장합니다. 심지어 정의롭지 못하다는 게 아니라 단지 불편할 뿐이라 해도 말이지요. 반면 어떤 이들은 법 위반을 허용하는 것을 정의롭지 못한 법의 경우로만 제한하려고 하겠지요. 그러나 또 누군가는 불편을 초래하는 법은 모두 정의롭지 못하다고 말합니다. 모든 법은 인간의 선천적인 자유를 어느 정도 제약할 수밖에 없고, 따라서 인류의 선을 위해 공헌하는 것으로 정당화되지 못한다면 법은 정의롭지 않다는 견해입니다. 이처럼 의견이 다양한 가운데서도 정의롭지 못한 법이 있을 수 있다는 점은 모두가 인정하는 것 같습니다. 따라서 법은 정의의 궁극 기준이 아니며, 어떤 사람에게는 이익을 주지만 다른 사람에게는 불행을 선사하지요. 이것은 정의로는 적당하지 않습니다. 그런데 어떤 법이 정의롭지 못하다면 위법 행위의 경우와 항상 마찬가지 방식으로 간주되는 것 같습니다. 즉 누군가의 권리를 침해했을 때의 방식이지요. 하지만 이때의 권리는 법적 권리일 수는 없어서 다른 명칭을 붙이게 되는데, 바로 도덕적 권리라고 불리는 것입니다. 따라서 우리는 불의의 이러한 두 번째 사례를 일컬어 어떤 사람에게서 그 사람이 가진 도덕적 권리를 빼앗거나 또는 억압하는 사례라고 말할 수 있겠습니다.

셋째, 각 개인이 (좋은 것이든 나쁜 것이든) 마땅히 받을 만한 것을 얻어야 하는 경우를 정의롭다고 하고, 마땅히 그렇지 않은데도 좋은 것을 얻거나 혹은 나쁜 일을 겪어야 하는 경우는 정의롭지 못하다고 보편적으로 생각합니다. 이것은 아마도 보통 사람들이 생각하는 가장 분명하고 확실한 형태의 정의의 개념이라고 할 수 있습니다. 여기에는 응당한 보답의 개념이 포함되기 때문에 응당한 보답이란 무엇인가라는 질문이 생깁니다. 일반적으로 말하면 올바른 일을 하면 마땅히 선을 보상받고, 나쁜 일을 하면 마땅히 악을 보상받아야 한다고 생각합니다. 보다 구체적인 의미로 보면 어떤 사람이 선을 행한 상대방으로부터는 선을 보상받고, 악을 행한 상대방으로부터는 악을 보상받아야 한다는 것입니다. 악을 선으로 갚으라는 계율이 정의 실현의 사례로 여겨진 적은 결코 없지요. 단지 다른 고려 사항들을 살피느라 정의의

132

요구를 외면한 사례로 이해됩니다.[34]

넷째, 누군가의 신뢰를 깨뜨리는 것은 분명히 정의롭지 못합니다. 그런 행위로는 명시적이든 암묵적이든 약속을 어기는 행위가 있습니다. 또한 적어도 우리가 알면서 그리고 고의로 타인의 기대를 높였다면 그로 말미암아 높아진 타인의 기대를 저버리는 행동도 신뢰를 깨트리는 행동입니다. 이미 언급했던 정의의 다른 의무와 마찬가지로, 신뢰의 의무가 절대적인 것으로 간주되지는 않습니다. 상대방의 더 강력한 의무에 의해 무시될 수 있습니다. 또는 상대방이 우리가 지고 있던 의무를 면제해주거나 자신이 기대했던 이익을 실효시키는 것으로 간주되는 행동을 한다면 무시될 수 있겠지요.

---

[34] 칸트는 "원수를 사랑하라"는 예수의 가르침을 인용하면서 감정이 아닌 이성이 명령하는 의무로서만 이 가르침을 이해할 수 있다고 주장한다. 인간의 선한 의지는 감정이 아닌 이성에 의해 생긴다고 믿는 칸트의 도덕철학에서는 악을 악으로 갚을 수 없겠지만, 사회 감정을 중요한 요소로 생각하는 밀은 악은 악으로 갚는 것이 정의감에 부합한다고 여긴다.

다섯째, 보편적으로 그렇게 인정하듯이 편파적인 것은 정의와 상반됩니다. 호의와 선호를 적용하는 것이 적당하지 않은 상황에서 어떤 한 사람에게 호의와 선호를 보여주는 행위는 정의와 모순됩니다. 하지만 공평함 Impartiality이 그 자체로 의무로 간주되지는 않지요. 오히려 다른 의무를 위한 수단으로 보이는 듯합니다. 왜냐하면 호의와 선호가 항상 비난받을 만한 것은 아니며, 사실 비난받는 경우가 일반적인 게 아니라 오히려 예외적이라고 인정되기 때문입니다. 다른 의무를 위반하는 것도 아니고 자기가 할 수 있는데도 자신의 가족이나 친구에게 모르는 사람보다 더 좋은 지위를 주지 않은 사람은 칭찬보다 비난을 받을 가능성이 더 큽니다. 친구나 친척 혹은 동료로서 누군가를 다른 사람보다 선호한다고 해서 정의롭지 못하다고 생각할 사람은 없지요. 권리가 관련된 문제일 경우 공평함은 당연히 지켜야 할 의무입니다. 그러나 이것은 모든 이에게 권리를 나눠주는 더욱 일반적인 의무와 관련이 있습니다. 예를 들어 법정은 공평해야 합니다. 어떤 다른 사항도 고려하지 않은 채 두 당사자 가운데 논쟁이 된 대상의 권리를 가진 쪽에 그 권리를 줘야 하기 때문입니다. 공평함의 의미가 오로지 응당한 보답에 의해 좌우되는 경우가 있습니다. 재판관이나 교사 또는 부모의 자격으로 걸맞은 상이나 벌을 주는 경우가 그렇습니다. 다른 한편으로 전적으로 공공의 이익만을 고려해서 공평함이 좌우되는 경우도 있습니다. 공무원 채용을 위해 지원자들을 선별하는 경우이지요. 요약하자면 정의의 의무로서 공평함이란 오로지 당면한 개별 케이스에 영향을 미쳐야 하는 고려 사항으로만 좌우되도록 하고, 그런 고려 사항들이 지시하는 바와는 다르게 행동하도록 자극하는 어떤 유혹에도 굴하지 않고 저항함을 의미한다고 볼 수 있겠습니다.

공평함과 거의 유사한 개념이 평등입니다. 평등은 정의의 개념을 구성하는 요소이기도 하고, 정의를 실천할 때 필요한 요소로 자주 등장합니다. 그리고 많은 사람의 눈에는 그게 정의의 본질을 이루는 것처럼 보이지요. 그렇지만 여기서도 다른 경우 못지않게 정의의 개념은 사람마다 다릅니다. 그리고 정의의 개념은 다양하면서도 항상 공리의 개념을 따르지요.

편리함을 위해 불평등이 필요하다고 생각하는 경우를 제외하고 사람들은 평등은 정의의 명령이라고 주장합니다. 권리 자체에 관해서는 아주 극단적인 불평등을 지지하는 사람들도 모든 사람의 권리를 동등하게 보호하는 게 정의라고 주장하더군요. 노예국가조차 이론적으로 노예의 권리는 주인의 권리만큼이나 신성한 것으로 인정되며, 노예와 주인의 권리에 대해 똑같이 엄격하게 법을 집행하지 못하는 법정은 정의가 결여된 것으로 간주합니다. 그와 동시에 노예가 거의 어떤 권리도 행사하지 못하는 제도라고는 해도 사회에 불편을 초래하지 않는다고 생각하면서 불의라고 평가하지는 않지요. 공리를 위해 계급 구별이 필요하다고 생각하는 사람들은 부와 사회적 특권이 불평등하게 분배되는 것을 불의라고 보지 않습니다. 하지만 이런 불평등이 불편하다고 생각하는 사람들은 역시나 불의라고 생각합니다. 정부가 필요하다고 생각하는 사람은 다른 사람들에게 부여되지 않은 권한을 정부 관리에게 부여해서 생기는 불평등을 불의라고 보지 않습니다. 평등 이론을 주장하는 사람들 가운데서도 편의에 대한 의견이 갈리는 것만큼이나 정의에 대해 많은 의문이 있습니다. 일부 공산주의자들은 공동체의 노동 생산이 평등의 원리에 따라 엄정하게 분배되지 못하고 다른 원리로 분배되는 것을 정의롭지 못하다고 생각하는 반면, 부족한 게 제일 많은 사람이 가장 많이 받아야 한다고 주장하는 사람들도 있습니다. 더

열심히 일하거나 더 많이 생산하거나 공동체에 더 가치 있는 공헌을 한 사람이 생산물의 분배에서 더 큰 몫을 마땅히 요구해야 한다고 생각하는 사람들도 있지요. 그렇다면 천부적인 정의라는 의미는, 이런 각각의 견해에 따라 그럴싸하게 호소할 수 있는 게 되겠군요.

정의라는 용어를 적용하는 그 많고 다양한 사례는 어느 것이나 분명합니다. 그렇지만 여러 적용 사례들을 서로 연결시키는 정신적인 고리를 찾아내서, 거기에 정의라는 용어에 붙어 있는 도덕 감정을 걸어 놓는 건 상당히 어려운 일입니다. 이렇게 난처할 때는 아마도 그 어원을 통해 나타나는 단어의 역사에서 도움을 얻을지도 모릅니다.

전부는 아니지만 대부분의 언어에서 정의로운 것Just의 어원은 분명 법의 명령과 관련된 기원을 가리킵니다. *justum*은 명령을 받는다는 의미를 가진 *jussum*의 한 가지 형태입니다. *Dikaion*는 법적 소송을 뜻하는 *dike*에서 유래한 것입니다. 영어 *right*와 *righteous*에서 유래한 독일어 *recht*는 법과 동의어입니다. 정의의 뜻, 정의의 집행은 곧 법정, 법의 집행입니다. 프랑스어 *La Justice*는 사법 제도와 관련해서 정착된 용어입니다.

단어는 그것이 갖고 있는 어원을 계속 지녀야만 한다
고 생각하면서, 진실을 드러낸 혼 투크[35]의 잘못을 기소
하려는 게 아닙니다. 어원 연구는 단어가 현재 의미하
는 바를 충분히 보여주지는 않지만, 단어가 어떻게 생겨
났는지는 아주 잘 보여주지요. 정의의 개념이 형성될 때
근본 개념, 즉 원초적 요소는 분명 법을 따르는 것이었
다고 생각합니다. 기독교가 출현하기 전까지 유대인들
사이에서 법에 대한 복종은 관념 전체를 차지했습니다.
율법은 요구되는 모든 주제를 자신들의 법에 포함시키
려 했습니다. 법은 절대자에게서 직접 나왔다고 믿는 민

---

[35] John Horne Tooke 1736~1812. 영국의
성직자, 정치가, 문헌학자. 원래 이름은 John
Horne이었으나 1782년 그의 친구이자 경제
적 후원자였던 William Tooke (1744~1820)
의 이름을 자기 이름에 더해서 성을 'Horne
Tooke'로 고쳤다. 존 혼은 1774년 윌리엄 투
크가 연루된 소송에서 투크가 이길 수 있도록
도와주었는데 나중에 자기 이름에 '투크'를
넣음으로써 당시 소송에서 편파적으로 행동
했음을 짐작케 했다.

족이라면 그건 당연한 일이었겠지요. 하지만 다른 민족들, 특히 자신들의 법이 원래부터 사람들에 의해 만들어졌고 계속 그렇게 만들어져 왔음을 알던 그리스와 로마 민족은 사람들이 악법을 만들었노라고 인정하는 데 거리낌이 없었지요. 법의 제재가 없어도 개인들이 한다면 정의롭지 못했다고 했을 일을 법의 이름으로 할 수 있음을 주저 없이 인정했습니다. 따라서 불의의 감정은 법을 위반하는 모든 경우에 생기는 게 아니라 당연히 있어야 하지만 존재하지 않는 법도 포함해서 생기는 것이었고, 반드시 있어야 하는 법과 모순되는 법에 대해서도 마찬가지로 적용됐습니다. 정의의 개념에서는 법과 법의 명령에 대한 이런 방식의 생각이 여전히 지배적인 위치에 있었습니다. 실제 시행 중인 법이 정의의 기준으로 더 이상 받아들여지지 않았을 때조차 말이지요.

진실로 사람들은 법률로 규정되어 있지도 않고 그렇게 되는 게 바람직하지도 않은 많은 내용에 대해 정의의 개념과 정의에 의해 생기는 의무를 적용할 수 있다고 생각합니다. 법이 사생활의 모든 면을 일일이 간섭해야 한다고 바라는 사람은 없지요. 하지만 모든 일상 행동에서 무엇이 정의롭고 정의롭지 못한지를 스스로 보여줄 수 있다는 건 누구나 인정합니다. 그렇지만 이 경우에도 마땅히 법이라고 부를 수 있는 것을 위반했다는 생각이 수정된 형태로 여전히 남아있습니다.

정의롭지 못한 행동은 처벌받아야 한다는 점은 언제나 우리에게 만족감을 주고 그게 타당하다는 우리의 감정과도 어울릴 것 같습니다. 처벌은 법정에서 행해져야 한다고, 그게 편리하다고 우리가 항상 생각하는 건 아니어도 말이지요. 만약 개인에 대해 무제한의 권한을 행사하는 정부 관리를 당연하다고 생각한다면, 아주 사소한 경우조차 정의로운 행동이 강행되고 정의롭지 못한 행동이 억제되는 것을 보면서 기뻐하겠지요. 우리가 한 사람이 어떤 일을 정의롭게 해야 할 의무가 있다고 생각할 때, 그 사람은 반드시 그렇게 해야 한다고 말하는 것이 정상적인 어법입니다. 우리는 권력을 가진 사람에 의해 의무가 강요되는 것을 보며 만족해합니다. 그러나 만약 법에 의해 의무가 강요되는 것이 불편하다고 생각한다면, 우리는 어쩔 수 없는 상황을 한탄하게 되지요. 정의롭지 못한 행동에 책임을 묻지 못한 상황을 악하다고 생각하면서 그 위반자를 향해 우리 자신과 공공의 비난을 강력하게 표현함으로써 잘못을 보상하려고 애씁니다. 그러므로 선진 사회에서처럼 그 개념이 완벽해지기 전까지 몇 차례 변화를 겪어야 하겠지만, 법적인 처벌은 여전히 정의의 관념을 만들어내는 동력입니다.

나는 이제까지 말한 내용이 정의라는 관념의 기원과 그 진보적인 발전에 대해 어느 정도 정확한 설명이라고 생각합니다. 하지만 도덕적인 의무 일반과 정의에서 비롯되는 의무를 구별하는 기준에 대해서는 아직까지 어떤 내용도 포함되지 않았습니다. 사실 법의 본질인 형벌적 제재의 관념은 불의injustice만이 아니라 모든 종류의 잘못wrong이라는 개념에도 적용되기 때문입니다. 우리가 생각하기를, 한 사람이 잘못된 행동을 했다면 어떤 식으로든 처벌을 받아야만 합니다. 법으로 처벌할 수 없다면 주위 사람들의 평판에 의해, 평판으로도 처벌이 안 되면 그 자신의 양심의 가책으로든 처벌되어야 하고, 우리가 그렇게 생각할 수 없다면 어떤 것도 잘못이라고 부르지 않습니다. 이것이 도덕과 단순한 편의주의를 구분하는 실질적인 분기점으로 보입니다.

한 사람이 마땅히 해야만 한다는 행위에는 그 형태가 무엇이든 의무Duty라는 관념이 들어 있지요. 의무란 빚을 받아내는 것처럼 어떤 사람에게서 받아낼 수 있는 것입니다. 그 사람에게서 받아낼 수 있는 게 아니라면 우리는 그것을 의무라고 부르지 않습니다. 신중함이나 타인의 이익 때문에 실제로 의무를 강요하지 못할 수도 있지요. 하지만 그 당사자는 의무 이행을 불평할 자격이 없음을 분명히 압니다. 그와는 반대로 사람들이 해야만 한다고 우리가 바라는 일이 있어서, 그 일을 하면 그들을 좋아하거나 칭찬하고 하지 않으면 싫어하거나 경멸하지만, 사람들이 반드시 그 일을 해야만 하는 의무는 없을 때도 있지요. 도덕적 의무가 있는 경우가 아니기 때문에 우리는 사람들을 비난하지 않습니다. 즉, 그들이 마땅히 처벌받아야 하는 대상이라고 생각하지 않습니다. 마땅히 처벌받아야 하는 것과 처벌받지 말아야 하는 것을 어떻게 알 수 있을지는 나중에 다루겠습니다. 하지만 나는 옳고 그름의 관념 밑바탕에는 이런 구별이 있다는 데 의심의 여지가 없다고 생각합니다. 우리가 어떤 행동을 잘못이라고 말하거나 그렇게 말은 안 해도 반감이나 혐오를 나타내는 다른 용어를 사용하는 건 그 사람이 처벌을 받아야 한다고 우리가 생각하기 때문입니다. 그래서 이러저러하게 행동함이 옳다거나 혹은 바람직하다거나 기특하다고 말하게 되는데, 이는 우리가 관련된 그 사람이 그렇게 행동하도록 강요되기를 바라기 때문이거나 또는 단순히 설득되고 훈계되기를 보고 싶기 때문이겠지요.[B]

밀의 주석 B: 이 점에 대해서는 인간 정신에 관한 정교하고 깊이 있는 연구를 담고 있는 베인 교수[36]의 논문 2편 가운데 두 번째 논문 속에 있는 놀라운 내용의 장(제목이 "윤리적 감정 또는 도덕적 감각"입니다)에서 보충 설명한 내용을 참고하기 바랍니다.

따라서 이것은 정의가 아니라, 도덕 일반을 편의주의와 가치의 영역으로부터 구별하는 결정적인 차이점이므로 정의와 다른 도덕 분야를 구분하는 특징은 아직 더 살펴봐야 합니다. 알려진 것처럼 윤리학자들은, 적절한 표현은 아니지만, 도덕적 의무를 완전한 의무와 불완전한 의무, 두 종류로 구분합니다. 후자는 의무적인 행동이라고는 해도 그때의 행동을 실행하는 것이 우리의 선택에 달려 있는 경우입니다. 자선이나 선행의 경우처럼 실로 우리가 행해야 하지만, 그건 특정인을 위해서도 아니고 특

---

36 Alexander Bain 1818~1903. 스코틀랜드 철학자, 언어학 자, 심리학자, 교육자.

정 시기에만 해야 하는 일도 아니지요. 법철학자들이 쓰는 보다 엄격한 언어로 표현하자면, 완전한 강제력이 있는 의무란 관련 권리가 어떤 사람이나 사람들에 귀속되면서 생기는 의무를 말합니다. 불완전한 강제력이 있는 의무는 어떤 권리도 유발하지 않는 도덕적인 구속력을 말합니다. 이런 구분이 정의와 다른 도덕의 구속력 사이에 존재하는 차이점과 정확히 일치함이 밝혀지리라 생각합니다. 대중적으로 다양하게 수용되는 정의의 개념을 조사해 봤을 때, 정의라는 용어는 일반적으로 개인적인 권리의 개념을 담고 있는 듯합니다. 개인적인 권리는 소유권이나 다른 법적 권리를 부여할 때처럼 법이 한 개인 혹은 다수의 개인에게 주는 일종의 청구권입니다. 어떤 사람의 소유물을 빼앗거나, 그 사람과의 신뢰를 깨뜨리거나, 그 사람이 마땅히 받아야 하는 대접보다 소홀히 대접하거나 혹은 더 나을 게 없는 사람보다 못하게 대우하는 행위 가운데 무엇이든, 각각의 불의는 두 가지 의미를 내포하고 있습니다. 잘못된 일이 벌어졌고, 부당한 대우를 받은 사람을 지정할 수 있다는 의미입니다. 또한 불의는 다른 사람들보다 어느 한 사람을 우대했을 때에도 일어날 수 있습니다. 이 경우 그의 경쟁자들이 부당한 대우를 받으며, 이 또한 지정할 수 있는 사람들입니다. 그와 같은 케이스에서 어떤 사람의 권리가 도덕적 의무와 상관관계가 있다면, 그 관계의 특징은 관대함이나 자선과 비교해서 정의가 갖는 특별한 차이가 아닐까요?

정의란, 그렇게 하는 것이 옳고 그렇게 하지 않으면 옳지 않을 뿐 아니라, 어떤 개인이 우리에게 자신의 도덕적 권리로 주장할 수 있는 것을 의미합니다. 우리에게 관대함이나 자선을 요구할 도덕적인 권리를 가진 사람은 아무도 없지요. 어떤 특정한 개인을 위해 그런 미덕을 베풀어야 하는 도덕적 의무가 우리에게 있는 것은 아니기 때문입니다. 이와 관련해서 모든 올바른 개념 규정이 그렇듯이 정의와 상충되게 보이는 사례들이 사실 정의를 가장 잘 확인해줍니다. 왜냐하면 만약 어떤 도덕주의자가, 개인에게 주어지는 권리는 아니더라도, 우리가 인류에게 할 수 있는 모든 선을 요구할 권리를 인류 일반이 갖고 있음을 주장한다면, 이런 명제는 결국 정의의 범주에 관대함과 자선을 포함시키기 때문입니다. 그런 시도를 한 사람이 있습니다. 그는 이렇게 말하겠지요. 첫째, 우리가 같은 인간을 위해 최대한 노력을 기울여야 하므로 그 노력을 일종의 빚에 비유할 수 있다는 것이며, 둘째, 사회가 우리를 위해 해준 것에 대해 우리가 충분한 보상할 수는 없으므로 우리의 그런 노력은 은혜에 대한 보답으로 봐야 하며, 이 두 경우 모두 정의의 사례로 인정된다고요. 그러나 권리가 문제가 되는 경우라면 그것은 정의의 사례이지 자선이라는 덕목의 사례는 아닙니다. 정의와 도덕 일반을 구분하지 않는 사람들은 이제껏 우리가 정의와 도덕 일반을 구분했던 경우에서 그 차이점을 전혀 알지 못한 채 도덕을 전부 정의에 짬뽕하고 있지요.

위와 같이 우리는 정의의 개념을 구성하는 특징적인 요소를 파악하기 위해 노력했습니다. 그러므로 이제 다음 질문으로 넘어갈 준비가 되었습니다. 정의의 개념에 동반되는 감정이 자연의 특별한 섭리에 의해 생기는 것인지, 아니면 어떤 잘 알려진 법률들에 의해서 정의 자체에서 만들어지는 것인지에 대해서입니다. 특히나 정의에 동반되는 감정이 일반적 편의성을 고려하는 데서 생겨날 수 있는지도 살펴보겠습니다.

나는 정의 감정이 흔히 혹은 정확히 편의성의 개념이라고 부르는 어떤 것으로부터 나온다고 생각하지는 않습니다. 하지만 그 감정이 편의의 개념에서 생겨나지 않았다고는 해도 정의 감정 속에 있는 도덕적인 것은 모두 편의의 개념에서 나옵니다.

우리는 정의감을 구성하는 두 가지 본질적인 요소가 있음을 살펴봤습니다. 해를 끼친 사람을 벌주고 싶은 욕망과 해를 입은 사람이 한 사람이든 몇 사람이든 분명히 있다는 인식이나 믿음입니다.

어떤 개인에게 해를 끼친 사람을 벌주고 싶은 욕망은 자기방어욕과 공감sympathy이라는 이 두 가지 정서에서 자연스럽게 생긴 것처럼 보입니다. 둘 다 아주 극도로 자연스러운 것이며, 본능적이거나 본능과 닮은 것입니다.

우리가 사람들을 동정한다거나, 우리 자신에게 해를 끼치거나 끼치려는 행동에 분개하고 반감을 가지며 보복하려 함은 자연스러운 일입니다. 이런 정서의 기원을 여기서 논의할 필요가 없지요. 그 기원이 본능이든 지적인 소산이든 우리는 이 정서가 모든 동물의 본성에서 공통적으로 나타남을 알고 있습니다. 모든 동물은 자신 혹은 자신의 새끼를 해치거나 해치려 한다는 생각이 들면 상대를 향해 공격을 시도하기 때문입니다. 인간은 다른 동물들과 두 가지 사항에서 차이가 날 뿐이지요. 첫째, 인간은 그들의 자손에게, 또는 일부 고상한 동물의 경우에서처럼 인간에게 잘해주는 고등동물뿐만 아니라, 모든 인간에게 그리고 심지어 모든 지각을 갖고 있는 존재에게 공감하는 능력이 있습니다. 둘째, 인간은 지능이 훨씬 발달한 덕분에 이기적이든 이타적이든 정서의 범위가 훨씬 다양합니다. 공감의 범위가 훨씬 넓은 것과는 별개로 인간은 탁월한 지능 덕분에 자기 자신과 자신이 속한 인간 사회 사이에 공통의 이해관계가 있음을 이해할 수 있지요. 즉, 사회 전체의 안전을 위협하는 모든 행동이 자기 자신의 안전을 위협할 수 있으므로 (만약 자기방어가 본능이라면) 자기방어의 본능을 깨웁니다. 이런 탁월한 지능에 인류 전체와 공감할 수 있는 능력이 더해져서 인간은 종족이나 조국이나 인류라는 집단적 개념에 자신을 결부시킬 수 있으며, 이 과정에서 그들에게 해가 되는 모든 행동은 그의 공감 본능을 끌어올려 저항하도록 자극합니다.

가해자를 처벌하고 싶은 욕구가 들어 있다는 점에서 정의감은 복수나 보복의 자연스러운 감정이라고 생각합니다. 그러므로 피해에서 비롯된 복수나 보복의 감정은 사회 전체를 통해서나 사회 전체와 더불어 우리를 아프게 하는 해로움에 대해 지성과 공감이 만들어낸 것이지요. 이 복수의 정서 자체에는 도덕적인 것이 전혀 없습니다. 도덕적인 것은 사회적인 공감에 완전히 복종한 상태를 말합니다. 그래서 사회적인 공감이 무엇을 가리키는지 기다리고 따르는 것이지요. 왜냐하면 누군가 우리에게 불쾌한 일을 했다면 그것이 무엇이건 자연감정은 우리를 분노케 하지만, 사회감정에 의해 교화되면 공익에 이로운 방향으로만 작용하기 때문입니다. 정의로운 사람은 자신에게 피해가 없더라도 사회에 피해를 주는 행동에 분노하며, 그 분노가 자신과 사회에 공통의 이익이 되지 않는다면 아무리 고통스럽다고 해도 그 자신이 받는 피해에 대해 분노하지 않습니다.

이러한 이론에 반대하면서, 정의감이 유린되는 기분이 들 때 우리는 대체로 사회 전체나 집단의 이익을 생각하지 않는다고, 그저 개인의 사정만 생각한다고 말하는 건 반론이 되지 못합니다. 박수받을 일은 못되지만, 우리가 고통을 받았다는 이유만으로 분노를 느끼는 건 분명 흔합니다. 하지만 진정 도덕적인 감정에서 분노하는 사람은 어떨까요? 어떤 행동에 분노를 표출하기 전에 과연 그 행동이 비난받을 만한지 고려하는 사람은, 자신이 사회의 이익을 지지한다고 분명하게 의견을 표명하지 않았다고 해도, 자신뿐 아니라 타인의 이익에 도움이 되는 규칙을 분명 느낍니다. 만약 그렇게 느끼지 못한다면, 만약 자기만 생각하면서 행동한다면, 그 사람은 정의를 의식하는 사람이 아닙니다. 자신의 행동이 정의로운지에 대해 생각하지 않기 때문이지요. 이 점은 공리주의를 반대하는 도덕주의자들도 인정합니다.

칸트가 (앞서 언급한 것처럼) '당신의 행위 규칙이 모든 이성적 존재들에게 하나의 법률로 받아들여질 수 있게 행동하라'라는 말을 도덕의 기본 원리로 제안했을 때, 그는 행위자가 자기 행동의 도덕성을 양심적으로 판단할 때 자기 마음속에서 인류 전체, 적어도 사람을 차별하지 않으면서 인류의 이익을 생각한다는 점을 인정한 셈입니다. 그렇지 않다면 칸트의 말은 의미가 없어요. 왜냐하면 어떤 이성적 존재도 완전히 이기적인 법률은 도저히 채택할 수 없기 때문이며, 그런 이기적인 법률이 넘을 수 없는 걸림돌이 사물의 본성 안에 있기 때문입니다. 모든 이성적 존재가 채택하는 그런 규칙에 따라 우리가 행동해야 하는 까닭은 집단적인 이익에 도움이 되기 때문입니다. 바로 이런 의무가 반드시 들어가야만 칸트의 원리에 어떤 의미가 생깁니다.

요약하면 이렇습니다. 정의의 개념은 행동 규칙과 그 규칙에 구속력을 부여하는 감정, 이 두 가지를 전제로 합니다. 행동 규칙은 모든 인류에게 공통적으로 적용되어야 하며, 인류의 선을 구현함을 목표로 삼아야 합니다. 감정은 행동 규칙을 어긴 사람을 처벌해야 한다는 바람입니다. 덧붙여서 이 감정에는 규칙 위반으로 인해 고통받는, 즉 규칙 위반에 의해 그 권리(이 경우에 적합한 표현을 사용한다면 말이지요)가 침해당하는 특정인에 대한 생각도 포함됩니다. 그래서 내가 보기에 정의감은 자기 자신 또는 자신이 공감을 느끼는 사람들을 향한 공격이나 피해를 막아내고 보복하려는 동물적 욕망이, 확장된 공감이라는 인간의 능력과 지적인 이기심이라는 인간의 발상에 의해 모든 인간을 아우를 수 있도록 그 범위가 넓어진 것 같습니다. 정의감은 이성적인 요소에서 그 도덕성을 얻고, 동물적인 요소에서 그 특유의 당당한 분위기와 자신만만한 에너지를 도출합니다.

나는 이제까지 피해자의 내면에 있으면서 침해를 당하는 권리라는 관념을 다루면서, 그 관념과 정서를 구성하는 어떤 분리된 요소가 아니라, 다른 두 가지 요소가 나타나는 여러 가운데 하나로 봤습니다. 이 두 가지 요소는, 한 사람이나 혹은 여러 사람에게 미치는 해로움과, 해를 끼친 사람에 대한 처벌 요구입니다. 내 생각에 우리 자신의 마음을 자세히 살펴보면, 권리 침해를 이야기할 때 이 두 가지가 모두 포함되어 있을 겁니다.

무엇인가를 한 사람의 권리라고 말할 때, 그것은 법률의 힘이나 교육과 여론의 힘에 의해 그 사람이 소유권을 지킬 수 있도록 사회에 요구할 정당한 권리가 있음을 의미하지요. 사회가 그에게 보장해 주는 것을 자신의 권리라고 주장할 충분한 이유가 있다고 생각된다면 우리는 그 사람이 그것에 대한 권리를 가진다고 말합니다. 반면 그에게 어떤 것을 가질 권리가 없음을 우리가 증명하고 싶다면, 사회가 그에게 권리를 보장해 줄 조치를 취할 게 아니라 그의 운명이나 노력에 맡겨야 함을 인정하자마자 증명은 끝나겠지요. 공정하고 엄격한 경쟁에서 얻을 수 있는 뭔가에 대해 어떤 사람이 권리를 취득했다고 일컬어진다고요? 그건 사회가, 이런 방식으로 자신이 할 수 있는 만큼 얻기 위한 그의 노력을 어느 누구도 방해하지 못하도록 하기 때문입니다. 그런데 누군가 1년에 300파운드[37]를 벌게 되었다고는 해도 반드시 그렇게 벌 권리를 가진 것은 아니지요. 그 사람이 그만한 액수를 벌 수 있도록 사회가 원조할 의무는 없기 때문입니다. 반대로 이율 3%의 공채 1만 파운드어치를 갖고 있다면 1년에 300파운드를 받을 권리를 갖습니다. 사회는 그에게 그만한 액수의 수입을 제공할 의무가 있기 때문입니다.

그러므로 권리를 가진다는 것은, 사회가 그 소유권을 보장해 줘야 하는 뭔가를 가졌다는 의미라고 생각합니다. 내 생각에 반대하는 사람이 왜 그래야만 되는지 묻는다면, 나는 그게 일반적인 공리 때문이라고 말할 수 있습니다. 만약 이런 표현이 의무의 구속력에 담긴 충분함 감정을 전달하지 못할뿐더러 이 감정이 가진 특별한 에

---

[37] 현재 화폐가치로 환산하여 원화로 변환하면 대략 4,000만 원에 해당하는 금액이다. 과거 화폐를 현재의 화폐가치로 변환해주는 서비스를 제공하는 웹사이트(www.measuringworth.com)를 이용하였다.

너지를 설명하지 못하는 것처럼 보인다면, 그것은 이 감정에 이성적인 요소와 보복에 대한 갈증이라는 동물적 요소가 함께 들어있기 때문입니다. 또한 이 보복에 대한 갈증도는, 도덕적인 정당성도 마찬가지인데, 관련된 공리의 아주 중요하고 강렬한 인상을 주는 유형에서 비롯됩니다. 바로 안전에 관한 것입니다. 안전은 모든 사람이 느끼기에 가장 중요한 관심사지요. 다른 모든 세속적인 이익에 관해 말하자면 필요한 사람도 있고 그렇지 않은 사람도 있습니다. 그리고 세속적인 이익의 대부분은 상황에 따라 기꺼이 포기하거나 다른 것으로 대체할 수도 있습니다. 하지만 안전은 인간에게 없어서는 안 되겠지요. 사악함에서 벗어나려는 우리의 모든 노력과 온갖 선을 추구하는 모든 가치가 순간순간을 뛰어넘도록 하려면 안전이 필요합니다. 왜냐하면 우리보다 강한 사람에 의해 다음 순간 모든 것을 빼앗길 수 있다면 우리에게 가치 있는 건 순간적인 만족밖에 없기 때문입니다. 이제 안전은 모든 필수요소 가운데 육체를 위한 영양분 다음으로 없어서는 안 될 사항이 되었지만, 안전을 제공하는 장치가 끊임없이 작동하지 않으면 안전을 누릴 수 없지요. 그러므로 우리는 같은 인간들에게 바로 이 생존 기반을 안전하게 만드는 데 동참하라고 요구할 권리가 있다고 생각합니다. 우리의 이런 생각은 공리에 관한 더 일반적인 사례와 관련된 감정보다 안전을 둘러싼 감정을 훨씬 강렬하게 고조시켜서 (심리학에서 흔히 그런 것처럼) 정도의 차이가 실제로는 종류의 차이로 나타납니다. 안전성에 대한 요구는 절대적이며, 제한이 없고, 다른 모든 사항과는 비교할 수 없다는 특성을 전제하며, 바로 그것이 옳고 그름의 감정과, 일반적인 편의와 불편의 감정 사이의 차이를 이룹니다. 여기에 연관된 감정이 아주 강력하고, 다른 사람에게서 호응하는 감정을 찾아낼 거라고 분명히 확신하기 때문에(모두 비슷한 관심을 가지고 있을 테니까요) 마땅히 해야 한다와 그래야만 한다가 반드시 하지 않으면 안 된다로 바뀌고, 그렇게 필수 불가결한 것으로 인식되면서 도덕적인 필연성이 됩니다. 이때의 도덕적인 필연성은 마치 자연법칙과 비슷한 것으로 어떤 행동을 촉구하는 구속력 면에서는 자연법칙에 못지않습니다.

만약 앞에서 설명한 분석이나 이와 유사한 분석이 정의라는 관념에 대한 올바른 설명이 아니라면, 만약 정의가 공리와 전혀 관련이 없이 그 자체로 하나의 기준이 되어서 인간 정신의 단순한 자기 성찰을 통해 알 수 있는 것이라면, 그런 내적인 신탁이 왜 그렇게 모호하며, 어째서 보는 관점에 따라 수많은 대상이 정의롭게도 보이고 정의롭지 못한 것으로도 보이는지 이해하기 어려워지지요.

공리가 사람마다 다르게 해석되는 불확실한 기준이라는, 변하지 않고 소멸하지 않으며 오해의 여지가 없고 스스로 증거를 지니는 정의의 명령 말고는 안전함이 존재할 수 없다는, 또한 정의는 본질적으로 그 증거를 내포하고 있으며, 그건 일정하지 않은 공리주의 견해와는 무관하다는, 그렇기 때문에 정의의 명령 외에 확실한 것은 없다는 이야기를 우리는 끊임없이 듣습니다. 누군가는 이 말을 듣고 정의의 문제에는 논란의 여지가 없을 거라고 생각하겠지요. 정의를 우리의 규칙으로 받아들인다면 그건 어떤 경우에나 이 규칙을 적용해도 수학적인 증명처럼 조금의 의심도 남기지 않을 거라고 말이지요. 지금 보면 사실과 동떨어진 생각입니다. 무엇이 사회에 유용한가라는 문제만큼이나 무엇이 정의로운가의 문제를 두고 논란도 많고 엄청난 견해 차이가 있습니다. 정의의 개념은 나라와 개인마다 달라질 뿐 아니라 한 개인의 마음속에서도 달라집니다. 정의는 어떤 하나의 규칙이나 원리 또는 준칙이 아니라, 수많은 규칙이나 원리 또는 준칙을 포함하고 있고 그것들이 정의의 명령에 항상 일치하지도 않습니다. 행위자는 외부 기준에 따를지 주관적 의향에 따를지를 선택할 따름입니다.

예를 들면 다른 사람들에게 본보기로 삼겠다며 누군가를 벌주는 것은 정의롭지 못하며, 처벌은 피해 당사자에게 좋다는 목적을 가질 때만 정의롭다고 말하는 사람들이 있습니다. 그와 달리 오랫동안 사려 깊게 행동해온 사람들에게 그들 자신의 이익을 추구했다고 처벌하는 건 횡포이고 불의라는 정반대의 주장도 있습니다. 오직 그들 자신의 선함만이 문제가 됐다면 그들이 그렇게 스스로 판단한 것을 어느 누구도 좌지우지할 권리가 없기 때문이지만, 다른 사람들에게 악하다면 그걸 막기 위해 그들을 정당하게 처벌할 수 있다는 것이고, 이것이야말로 자기방어의 정당한 권리 행사라면서 말입니다. 더 나아가 오웬[38]은 처벌은 모두 정의롭지 못하다고 주장합니다. 범죄자 스스로 그런 성격이 된 게 아니라 그를 둘러싼 환경이나 교육에 의해 범죄자가 되는 것이고, 이런 요인은 범죄자의 책임이 아니기 때문이라는 견해입니다.

이런 모든 의견은 지극히 그럴듯합니다. 하지만 정의의 밑바탕에 있는 원리와 그 권위의 근본이 되는 원리를 자세히 살펴보지 않은 채 이 문제를 단순히 정의의 한 측면에서만 논의한다면, 이런 주장을 하는 사람들을 어떻게 반박할 수 있을지 모르겠군요. 왜냐하면 이 세 가지 주장은 사실 모두 각각 옳다고 하는 정의의 규칙에 기반을 두고 있기 때문입니다.

첫 번째 주장은 정의에 어긋난 것으로 인정되는 문제를

---

[38] Robert Owen 1771~1858. 웨일스 출생의 영국의 방직업 자이자 사회개혁가. 협동조합 운동에 큰 영향을 미쳤으며 사회주의라는 용어를 처음으로 사용하였다. 그는 이상적인 사회를 꿈꿨고 그 꿈을 실행하기 위해 노력했다.

지적하는데, 타인의 이익을 위한다면서 한 사람을 지목해서 당사자의 동의도 없이 희생시키는 문제를 지적합니다. 두 번째 주장은 다들 인정하는 것처럼 자기방어는 정의이며, 무엇이 자신에게 좋은지의 문제를 타인의 의견에 따르도록 강요하는 것은 정의에 어긋난다는 논리를 따릅니다. 세 번째 오언주의자들은 개인이 어쩔 수 없이 저지른 일을 처벌하는 건 정의롭지 못하다는 널리 인정되는 원리를 내세웁니다. 각자의 주장이 의기양양하지요. 자신이 선택한 주장 이외에 다른 정의의 준칙을 마지못해 고려해야 하는 경우가 아니라면 말입니다. 그렇지만 몇몇 준칙이 서로 비교 대상이 되는 순간, 논쟁에 참여한 사람들은 각자 해명할 게 많은 것처럼 보입니다. 다들 자신의 정의 개념을 주장하기 위해 동일한 구속력을 가진 다른 원칙을 짓밟더군요. 이런 점들이 어렵지요. 이제껏 항상 어려운 것으로 생각되었고, 그 어려움을 극복하기보다는 모면하기 위해 많은 장치가 고안되었습니다. 세 가지 주장 가운데 마지막 주장에 대한 방어막으로 사람들은 의지의 자유라고 부르는 것을 생각해 냈습니다. 그들은 상황에서 먼저 영향을 받았다면 의지가 완전히 증오로 가득 찬 상태가 됐더라도 그 사람을 처벌하는 건 정당화할 수 없다고 생각했습니다. 다른 논란들을 피하기 위해서는 계약이라는 소설이 아주 좋은 장치가 되지요. 어느 때인가 사회의 모든 구성원이 계약법을 따르기로 약속하고 법을 위반할 시에는 처벌을 받는다고 동의했다는 것입니다. 그 때문에 입법자들에게는 계약이 아니었다면 없었을 권리가 주어졌고, 사회 구성원들의 선이나 사회의 선을 위해 구성원들을 처벌할 수 있다는 생각입니다. 이런 교묘한 생각이 모든 어려움을 없애주리라 기대됐습니다. 또한 정의에 관해 인정되는 또 다른 준칙인, 위험을 무릅쓴 자에게는 위법이 아니다[39], 즉 손해를 볼 걸 알고 있는 사람의 동의로 행해진 행동은 부당하지 않다는 규범으로 사람들을 처벌하는 것이 정당화되었지요. 설사 그런 동의 이야기가 그저 허구에 불과할지라도, 이 준칙이 다른 준칙들보다 더 우월한 권위가 있지 않다는 점은 말하나 마나지요. 그러기는커녕 이른바 정의의 원리들이 얼마나 부실

---

[39] 라틴어 'Volenti non fit injuria.' 어떤 상황에서는 위험이 발생할 가능성이 있음을 알고 있으면서 기꺼이 그런 상태에 스스로를 빠트리는 경우, 그런 사람이 타인에게 죄를 추궁하면서 권리주장을 할 수는 없다는 관습법 이론.

하고 변칙적인 방식으로 성장했는지를 보여주는 교훈적인 사례입니다. 이 특별한 준칙은 분명 딱하고 절박한 송사를 해결하는 데 이용되었습니다. 법정에서는 더 엄격하게 법을 적용하려다가 더 큰 폐해가 자주 일어날 수 있다는 이유 때문에 경우에 따라 아주 불확실한 추측에 만족해야 할 때가 있지요. 하지만 법정에서조차 이 준칙을 일관되게 고수할 수는 없습니다. 사기라는 이유로, 때때로 단순한 실수나 정보를 이유로 자발적인 계약을 무효화시키기 때문입니다.

처벌이 정당화될 때, 범죄 행위에 적절한 처벌 형량을 논하면서 정의의 모순된 개념은 또 얼마나 많이 드러나는지요? 이 문제에 관해 어떤 규칙도, 눈에는 눈, 이에는 이라는 보복법 같은 원시적이고 충동적인 정의감에 강하게 호소하지는 않습니다. 유태인들의 원리와 이슬람법의 이러한 원리는 대체로 유럽에서는 실천적인 준칙으로서는 폐기되었지만, 나는 대다수 사람의 마음속에서는 이 보복법을 은밀히 바라고 있지 않을까 의심합니다. 우연찮게 가해자한테 똑같은 형태의 보복이 벌어졌을 때 일반적으로 나타나는 만족감은 이런 종류의 보복이 적용되는 것에 대해 우리의 감정이 얼마나 자연스러운지 증명해 줍니다. 많은 이가 생각하기에 형량에 관해 정의의 기준은 처벌이 범죄에 비례하는가에 있습니다. 그건 (도덕적인 죄의식을 측정하는 기준이 무엇이든) 범죄자의 도덕적 죄의식에 의해 정확히 측정되어야 한다는 의미입니다. 어떤 형량이 범죄를 예방하는 데 필요한지를 따지는 건 정의의 문제와 아무런 관련이 없습니다. 하지만 이런 걸 중요하게 고려하는 사람들도 있습니다. 이들은 어떤 범죄를 저질렀든지 가해자가 범죄행위를 반복하는 것을 막고 다른 사람들이 범죄행위를 모방하는 것을 막는 데 충분한 정도 이상의 고통을 같은 한 인간에게 가하는 것은 정의롭지 못하다고 주장합니다. 이미 앞서 언급했던 주제에서 또 다른 예를 들어보겠습니다. 협동조합 형식의 산업체에서 재능이나 기술에 따라 더 많은 보수를 받을 자격이 주워지는 게 정의로운 걸까요, 아니면 그렇지 않은 걸까요?

이 문제에 관해 부정적인 측에서는 누구든 최선을 다한 사람은 동등하게 흡족한 보수를 받아야 하며, 당사자의 잘못이 아닌데도 남보다 못한 상황에 처하는 건 정의롭지 못하다고 주장합니다. 뛰어난 능력을 가진 사람들은 다른 사람들의 존경을 유도하고 개인적인 영향력을 발휘하며 자신의 능력에 스스로 만족하는 등 굳이 여기에 세속적인 재화를 더 늘리지 않아도 이미 충분한 이득을 누리고 있다고 생각합니다. 그러므로 사회는 이런 부당한 이익의 불평등을 악화시키기보다는 타고난 능력이 부족한 사람들에게 보상을 해주는 것이 정의롭다고 주장합니다. 반대편에서는 사회가 유능한 노동자로부터 더 많은 것을 얻는다고 주장합니다. 더 유익한 공헌을 하기 때문에 사회는 더 큰 보상을 해야 한다는 것이며, 실제 그가 한 일이 공동 작업의 결과에서 더 큰 비중을 차지하기 때문에 더 많은 보상을 주장한다고 해서 그게 일종의 강도질로 봐서는 안 된다는 것이며, 만약 그가 다른 사람들이 받는 만큼만 보상을 받는다면 그는 정당하게도 자신이 받는 보상만큼만 일할 것이고 그의 월등한 능률에 맞춰 적은 시간과 적은 노력만을 들이게 될 것이라는 주장입니다.

이렇게 서로 상반된 정의의 원리를 강조하는 두 견해 사이에서 누가 결정을 내려야 할까요? 이 경우 정의는 서로 조화를 이룰 수 없는 양면성을 가지며, 논쟁하는 사람들은 서로 반대 입장을 선택했습니다. 한쪽은 정의란 개인이 받아야 하는 것이라고 생각하고, 다른 쪽에서는 정의란 공동체가 주어야 하는 것이라고 생각합니다. 각자의 관점에서 보면 서로 반박할 수 없는 견해입니다. 둘 중 어느 견해를 선택하든 정의의 관점에서 볼 때 지극히 자의적이지요. 사회적인 공리를 적용해야만 결정할 수 있는 문제입니다.

그리고 세금 부과를 논의할 때 언급되는 정의의 기준에 대해서도 왜 이렇게 의견이 분분하고 상반되는 걸까요? 한 가지 견해는 국가에 지불해야 하는 세금은 금전적 수입에 수치적으로 비례해야 한다는 것입니다. 더 여유가 있는 사람들에게 더 높은 세율을 적용하는 누진세가 바로 정의가 의미하는 바라고 생각하는 사람들도 있지요. 자연적 정의의 관점에서 보면 수입은 완전히 무시한 채 (세금을 거둘 수 있을 때마다) 모든 사람에게 동일한 절대 금액을 징수하자는 주장이 타당해 보일 수도 있습니다. 식당이나 클럽을 이용할 때 이용 금액을 부담할 수 있든지 없든지 동일한 권리를 누리기 위해 모든 사람이 동일한 금액을 지불하는 것처럼 말입니다. 법과 정부의 보호는 모든 사람에게 주어지고 동등하게 요구되기 때문에(요구된다고 말할 수 있기 때문에) 모든 사람이 동일한 금액을 지불하게 한다고 정의에 어긋난 게 아닙니다. 판매자가 같은 물건을 두고 구매자의 지불 방식에 따라 가격을 달리하지 않고 같은 가격을 매긴다면 그건 불의이기는커녕 정의로 인식됩니다. 그런데 이 이론을 세금 문제에 적용하면 아무도 동조하지 않지요. 인간의 속성이나 사회적 편의에 관한 사람들의 감정과 너무나 상충되기 때문입니다. 하지만 이 이론에서 언급하는 정의의 원리는 그 반대편에 있는 원리와 마찬가지로 진정성과 구속력이 있습니다. 따라서 이 이론은 다른 방식으로 세금 부과를 평가하자는 쪽에도 암묵적인 영향을 미칩니다.

국가가 부자로부터 세금을 더 걷어야 한다는 명분으로 국가가 가난한 사람들보다 부자를 위해 더 많은 일을 한다고 주장해야 해야 하는 건 아닌지 사람들은 생각하더군요. 하지만 이것은 사실이 아닙니다. 부자는 법이나 정부가 없어도 가난한 사람들보다 스스로를 훨씬 더 잘 보호할 수 있으며, 가난한 사람을 자신의 노예로 충분히 만들 수 있기 때문입니다. 또 어떤 이들은 마찬가지로 정의의 개념에 따라, 모든 사람은 자신의 신체(신체는 모두에게 동일한 가치가 있지요)를 지킨다는 명목으로는 동일한 인두세를 지불해야 하며, 재산은 사람마다 다르기 때문에 불평등하게 세금을 부과해야 한다고 주장합니다. 이 주장에 대해 한 사람이 가진 모든 것은 다른 사람이 가진 것 전부만큼이나 소중하다는 답변을 내놓는 사람들도 있습니다. 이런 혼란에서 벗어나는 방법도 공리주의밖에 없습니다.

그렇다면 정의로운 것과 편의적인 것의 차이는 단지 상상 속의 구별일까요? 정의가 정책보다 신성하며, 정의가 충족되고 난 다음에야 비로소 정책에 귀 기울여야 할 뿐이라고 생각한다면 그건 인류가 착각에 빠져 있기 때문일까요? 결코 그렇지 않습니다. 감정의 특성과 기원에 대해 우리가 했던 설명을 생각해 보면 정의와 편의는 분명히 구별됩니다. 행동의 결과로 도덕성을 판단하는 것을 지극히 경멸한다고 공언하는 사람들 중에서 나만큼 정의와 편의의 차이점을 중시하는 사람이 있을까 싶습니다. 나는 공리에 기반을 두지 않고 정의에 대해 상상의 기준을 세우는 모든 이론을 반박하는 한편, 공리에 근거한 정의야말로 모든 도덕의 가장 중요한 부분이며, 비교할 수 없을 정도로 신성하고 구속력이 있다고 생각합니다. 정의는 삶의 지침이 되는 어떤 규칙보다 인간 행복의 본질적 요소들과 더 밀접한 관련이 있어서 더욱 절대적인 구속력을 가지는 특정 종류의 도덕 규칙에 붙이는 이름입니다. 그래서 우리가 정의라는 관념의 본질, 즉 한 개인에게 귀속된 권리의 본질이 바로 정의라는 생각은 이렇게 더 강력한 구속력을 의미하고 그것을 입증하는 증거가 됩니다.

인류가 서로 해치는 것(상대방의 자유를 부당하게 간섭하는 것도 포함됨을 절대 잊어서는 안 됩니다)을 금하는 도덕 규칙은 어떤 준칙보다 인간의 행복에 중요합니다. 인간사의 일정 부분을 관리하는 데 최선의 방법만을 알려주는 아무리 중요한 준칙이라고 해도 그렇습니다. 또한 이 도덕 규칙은 인류의 사회적 감정 전체를 결정하는 핵심 요소라는 특수성도 갖고 있지요. 이것을 지켜야만 인류의 평화가 유지됩니다. 만약 이러한 도덕 규칙을 지키는 것이 원칙이 아니고 위반하는 것이 예외가 아니라면 모든 사람은 각자 자신을 끊임없이 지키기 위해 다른 모든 이를 적으로 볼 것입니다. 이보다 중요한 점은 이런 도덕 규칙이야말로 우리 인류가 서로에게 가장 강하고 가장 직접적으로 각인시켜준다는 점입니다. 서로에게 사려 깊은 교훈이나 충고를 건네는 것만으로는 아무것도 얻을 수 없거나 아무것도 얻지 못한다고 생각할 수 있습니다. 적극적인 자선의 의무를 서로에게 심어주는 일은 필경 관심이야 있겠지만, 그 관심의 정도는 현저히 낮지요. 어쩌면 한 사람이 다른 사람의 도움이 필요하지 않을 수 있습니다. 그러나 항상 다른 사람이 자신을 해지치 않도록 할 필요는 있습니다. 따라서 모든 개인이 타인으로부터 직접적으로 해를 입지 않게 또는 자신의 이익을 추구하는 자유가 방해받지 않도록 막아주는 도덕 규칙은 그 사람이 가장 염두에 두고 있는 사항이기도 하고, 말과 행동을 통해 알리고 실행하는 데 가장 큰 관심사이기도 합니다. 어떤 사람이 인류의 일원으로서 존재하는 데 적합한지 판단하고 결정하는 건 바로 이런 도덕 규칙의 준수 여부입니다. 그것이 교류하는 사람들에게 자신이 폐가 되는 존재인지 아닌지를 좌우합니다. 이런 도덕 규칙이 일차적으로 정의의 구속력을 이루고 있습니다. 불의나 불의의 정서적인 특징인 반감이 가장 두드러지게 나타나는 경우는 누군가를 부당하게 공격하거나 불법적으로 권력을 행사하는 행동이 나타나는 때입니다. 그다음으로는 어떤 사람이 마땅히 받아야 하는 것을 부당하게 주지 않을 때입니다. 두 경우 모두 직접적인 고통의 형태로 해를 입히거나 혹은 물리적이든 사회적이든 그가 합당하게 기대할 수 있는 좋은 상태를 박탈하는 형태로 해를 입힙니다.

이런 일차적 도덕 규칙을 준수하도록 명령하는 마찬가지로 강력한 동기가 그 규칙을 위반하는 사람들을 처벌하라고 명령하지요. 그리고 규칙을 위반한 사람들에 대해서는 자기방어의 충동과 타인을 방어하고 보복하려는 충동이 일어납니다. 그 때문에 위반행위를 보복하거나 악을 악으로 갚는 것은 정의감과 밀접하게 연관되며, 일반적으로 정의라는 개념 속에 포함됩니다. 선을 선으로 갚는 것 또한 정의가 내리는 명령 중 하나입니다. 선을 선으로 갚는 것은 그 사회적 공리가 분명하고 인간의 자연스러운 감정을 수반합니다. 그러나 정의 또는 불의라는 가장 기본적인 경우에 존재하면서 정의감 특유의 강렬함을 촉발하는 요인이기도 한 손해나 침해와는 언뜻 보기에 명백한 관계가 없습니다. 하지만 덜 명백하다고 해서 이 관계가 실제적이지 않다는 것은 아니지요. 혜택을 받고도 필요할 때 되갚기를 거부하는 사람은 정말 손해를 끼치는 것입니다. 가장 자연스럽고 합리적인 기대를 저버리기 때문이며, 결코 받지 못했을 혜택을 되갚겠다며 암묵적으로 유도했을 기대치를 외면했기 때문입니다. 인간이 저지른 악행과 잘못 가운데 기대를 저버리는 일은 중요한 위치를 차지하지요. 우정을 깨뜨리는 일과 약속을 저버리는 일과 같은 비도덕적인 행동의 주요 범죄성은 기대를 저버리는 일에서 비롯된다는 사실이 그 증거입니다. 인간이 받을 수 있는 상처 가운데 습관적으로 의지했거나 전적으로 확신해서 기댔던 대상으로부터 도움이 필요할 때 외면당하는 일보다 더 큰 상처가 없으며, 이보다 더 심한 상처를 주는 사람도 없습니다. 선을 베풀어야 할 때 이처럼 자제하는 행동보다 더 큰 잘못은 없으며, 고통을 당하는 사람이나 그 상황에 공감하며 지켜보는 사람에게 이보다 더 큰 분노를 유발하는 일도 없습니다. 그러므로 당연히 받을 만큼 서로에게 되돌려 준다는 이 원리, 즉 악은 악으로 갚고 선은 선으로 갚는 원리는 우리가 규정해 온 정의의 개념에 포함될 뿐 아니라, 인간적으로 평가해서 단순히 편의적인 것보다 정의로운 것에 더 강렬한 정의감을 표출하기에 적절한 이유가 되기도 합니다.

세상에서 통용되며 사람들에게 호소력을 가진 정의의 준칙 대부분은 우리가 지금까지 이야기해 온 정의의 원리를 실행하기 위한 도구일 뿐입니다. 누구든 자발적으로 행한 일이나 자발적으로 피할 수 있었던 일에 대해서만 책임을 져야 한다거나, 아무것도 듣지 못한 사람을 비난하는 것은 정의롭지 못하다거나, 처벌은 범죄 수준에 맞게 내려야 한다는 등의 준칙은, 악은 악으로 갚는다는 정의의 원리가 정당한 이유 없이 해악을 끼치도록 변질되는 것을 막기 위해 고안되었습니다. 이런 일반적인 준칙 가운데 대부분은 법정 절차에서 사용되었지요. 이들 준칙들은 마땅히 벌을 받아야 할 때는 처벌하고 권리를 가진 자에게는 보상해 주는 두 가지 기능을 수행하는 데 필요한 규칙으로서 사람들에게 제시하려고 했던 어떤 규칙보다 훨씬 더 완전하게 인식되고 의미도 분명해졌습니다.

재판관의 첫 번째 미덕인 공평함은 정의의 의무입니다. 어느 정도 마지막에 언급한 이유는 공평함은 정의의 다른 의무를 이행하기 위한 필수 요건이기 때문입니다. 하지만 이것이 인간의 의무들 중에서 가장 숭고한 의무는 아니지요. 평등과 공평함의 준칙들은 대중적인 평가로나 지식인 계층의 평가로나 정의의 계율들에 포함됩니다. 한 가지 관점에서 보면 평등과 공평함의 준칙들은 이미 서술한 원리들로부터 추론된 것으로 볼 수 있습니다. 악은 악으로 보복하고 선은 선으로 보답하면서 각자

171

의 공과에 따라 대우하는 것이 의무라면(상위 의무가 금지하지 않는 한에서 그렇습니다) 우리는 우리를 동등하게 제대로 대우하는 사람들 모두 동등하게 제대로 대우해야 하며, 사회 역시 그 사회를 동등하게 제대로 대우하는 사람들 모두, 즉 절대적으로 동등하게 제대로 대우해야 하는 사람들을 동등하게 제대로 대우해야 한다는 결론에 이릅니다. 이것이야말로 최고 수준의 추상적인 사회 정의와 분배 정의의 기준입니다. 이 기준을 향해 모든 제도와 선량한 모든 시민의 노력을 되도록 최대한 집중시켜야 합니다.

그러나 이 위대한 도덕 의무는 훨씬 더 심오한 기초에 바탕을 두고 있습니다. 도덕의 제1원리에서 직접 유래한 것이기 때문이며 이차적이거나 파생적인 이론들에서 비롯된 단순한 논리적 추론은 아닙니다. 이 도덕 의무는 바로 공리 또는 최대 행복의 원리가 의미하는 바에 포함되어 있습니다. 만약 어떤 사람의 행복이 정도에서 동등하다고 생각되는 (종류도 동등함을 감안하면서) 타인의 행복만큼 정확히 중요하게 여겨지지 않는다면, 이러한 도덕의 제1원리는 아무런 합리적인 의미를 내포하지 못한 채 그저 말의 형식만 갖추고 있는 것이겠지요.

172

도덕의 제1원리의 그런 조건이 제시된다면, '모든 사람은 한 명으로 간주되고 한 명 이상으로 간주되는 사람은 없다'라고 하는 벤담의 격언은 공리의 원리에 따라 하나의 주석으로 쓰였을 것입니다.[c]

밀의 주석 C: 공리주의 체계의 제1원리는 사람들 사이에 완벽하게 공평한 관계가 성립되는 것을 내포하고 있지만, 허버트 스펜서[40]는 저서 <사회정학Social Statics>에서 공리가 권리에 대해 충분한 지침이 될 수 있다는 주장의 반론으로 이 점을 지적합니다. 왜냐하면, (스펜서가 말하기를) 공리의 원리는 모든 사람은 행복해질 동등한 권리를 갖는다는 선행 원리를 전제하기 때문입니다. 동일한 양의 행복은 같은 사람들이 느끼든 다른 사람들이 느끼든 똑같이 바람직한 것이라고 가정하는 것이 더 정확한 설명일지도 모릅니다. 하지만 이 행복이라는 것은 하나의 전제 조건이 아닙니다. 공리의 원리를 뒷받침하기 위해 필요한 전제가 아니라 원리 그 자체입니다. 그 이유는 이렇습니다. '행복'이라는 말과 '바람직한'이라는 말이 서로 동의어가 아니라면 과연 공리의 원리는 무엇일까요? 만약 어떤 선행 원리를 내포하고 있다면, 그건 단지 산술적인 진리가 행복을 측정하는 데에도 적용할 수 있다는 것입니다. 산술적 진리

---

40 Herbert Spencer 1820~1903. 영국의 사회학자, 철학자, 사회진화론자이다.

가 다른 모든 측정 가능한 양에 적용되는 것처럼 말이지요.

[앞에서 언급한 주석을 주제로 허버트 스펜서는 사적인 대화에서 말하기를 자신이 공리주의를 반대하는 사람이 아니며, 행복을 도덕의 궁극적인 목적으로 생각한다고 합니다. 하지만 도덕의 목적은 행위를 관찰한 결과로부터 경험적인 일반화 과정을 통해서는 부분적으로만 달성할 수 있을 뿐이고, 삶의 법칙과 존재의 조건으로부터 필연적으로 행복을 유도하는 행동 유형과 불행을 초래하는 행동 유형을 추론함으로써 완벽하게 달성할 수 있다고 말합니다. '필연적'이라는 말만 제외하면 나는 이 이론에 대해 반대하지 않습니다. 그리고 (그 말만 생략하면) 오늘날 공리주의를 지지하는 사람들 가운데 다른 의견을 가진 사람도 알지 못합니다. 스펜서 씨가 <사회정학>에서 특별히 언급했던 벤담도 인간 본성의 법칙과 인간 삶의 보편적인 조건으로부터 행동이 행복에 미치는 영향을 추론하는 것을 결코 꺼리지 않았지요. 벤담에 대한 공통된 비난은 그런 추론에 너무나 일방적으로 의존하는 것과 특수한 경험에서 일반화 과정에 얽매이는 것을 전적으로 거부한다는 점이지요. 스펜서 씨가 생각하기를 공리주의자들은 대체로 스스로 제약한다고 하는 경험 말이지요. 내 견해는 (그리고 스펜서 씨의 견해도 같다는 기억합니다만) 다른 모든 과학 연구 분야와 마찬가지로 윤리학에서도 다른 것을

입증하고 검증하는 이 두 과정의 결과가 일치하는 것이 필수적이라는 생각이며, 그건 어떤 명제가 과학적 증명을 충족시킬 정도의 다양한 유형의 증거를 얻기 위해서라도 필요하다는 말씀입니다]

도덕주의자와 입법자들이 평가하기에 모든 사람이 동등하게 행복할 권리에는 행복하기 위한 모든 수단을 동등하게 요구할 수 있는 권리가 포함됩니다. 단, 인간 삶의 불가피한 상황이나 모든 개인의 이익이 포함된 일반적인 이익을 위해 이런 준칙에 제약이 가해지기도 하지만, 이 경우에도 그런 제약들은 엄격하게 해석되어야 하지요. 정의에 관한 다른 모든 준칙처럼, 이런 제약은 보편적으로 적용되거나 적용될 수 있는 게 아닙니다. 오히려 그 반대로, 내가 이미 언급했듯이, 사회적인 편의에 대한 개개인의 생각에 달려 있습니다. 하지만 어떤 경우든 이 준칙이 적용될 수 있다면 그 경우는 정의의 명령이라고 봐야 하지요. 일부 공인된 사회적인 편의에 의해 제한이 불가피한 경우를 제외하고, 모든 사람은 평등한 대우를 받을 권리를 가진 것으로 생각합니다.

그러므로 편의적이지 않은 모든 사회적 불평등은 단순

히 불편하다는 특성이 아니라 불의의 특성을 띠고, 매우 억압적으로 보이기 때문에 사람들은 이제껏 어떻게 그런 불평등이 용납될 수 있었는지 의아하게 여기기 십상입니다. 그들이 편의라는 개념을 마찬가지로 잘못 이해한 탓에 아마도 스스로 다른 불평등을 용인한다는 사실을 쉽게 잊어버립니다. 그렇기 때문에 사람들이 그동안 인정해 온 것을 시정하는 일은 어처구니없게도 편의적이라고 믿었던 것을 결국에는 비난하는 일과 같습니다.

사회 진보의 전체 역사는 전환의 연속이었습니다. 이 전환에 의해 하나의 관습이나 제도는 사회적 생존을 위해 일차적으로 필요하다고 생각되는 것에서 불의나 억압이라고 보편적으로 낙인찍힌 부류로 전락했습니다. 노예와 자유인, 지주와 농노, 귀족과 평민의 구분이 그런 것이었고, 앞으로는 피부색, 인종, 성별에 따라 특권 계급이 그렇게 될 것이며, 이미 부분적으로 그렇게 되고 있습니다.

이제까지 살펴본 바에 따르면, 정의는 특정한 도덕적 요구 조건을 나타내는 이름이며, 이 도덕적 요구 조건은 집합적으로 봤을 때 사회적 공리의 범위에서 높은 위치를 차지하므로 다른 어떤 조건보다 더 강력한 구속력을 가지고 있습니다. 그렇지만 다른 사회적 의무가 너무 중요한 나머지 정의의 일반 준칙들 가운데 어느 하나를 무시하는 특별한 상황이 벌어질 수 있습니다. 따라서 한 생명을 구하기 위해서 필요한 음식이나 약을 훔치거나 강탈하는 일 혹은 유일하게 자격을 갖춘 의사를 납치해서 강제로라도 진찰하게 하는 일이 허용될 수 있을 뿐 아니라, 그게 하나의 의무가 될 수도 있습니다. 우리가 덕행이 아닌 것을 정의라고 부르지 않는 것처럼, 이런 경우에도 대체로 우리는 다른 도덕원리를 위해 정의가 양보해야 한다고 말하지는 않지요. 그 대신 평상시에는 정의로운 것이, 다른 원리 때문에, 특수한 경우에는 정의롭지 못하게 된다고 말합니다. 이렇게 언어를 편리하게 변용함으로써 정의의 속성인 불가침성이 유지되고, 우리는 칭찬할 수밖에 없는 불의가 있다고 주장해야 하는 불가피한 상황에서 벗어납니다.

지금까지 제시된 고려 사항들을 통해 공리주의 도덕 이론이 직면한 유일한 실질적인 어려움도 해결된다고 나는 생각합니다. 정의와 관련된 모든 사례는 편의와 관련된 사례이기도 하다는 점은 언제나 명백한 사실이었습니다. 이 둘의 차이점이라면 정의라는 말에는 특정한 정서가 수반되어서 편의와는 뚜렷이 구별된다는 점입니다. 만약 이 특징적인 정서가 충분히 설명된다면, 만약 그 독특한 기원을 가정할 필요가 없다면, 만약 복수의 자연스러운 감정이 그저 사회적 선이 요구하는 바와 동일선상에 놓여서 도덕적이 되는 것이라면, 그리고 만약 이러한 감정이 정의의 개념이 적용되는 모든 부류의 경우에 존재할 뿐 아니라 존재해야 한다면, 이 정의라는 관념은 더 이상 공리주의 윤리학에 걸림돌이 되지 않습니다. 여전히 정의는 하나의 종류로서 다른 것보다 훨씬 더 중요하고(특별한 경우에는 그렇지 않을 수도 있습니다만), 따라서 더 절대적이며 강제성이 있는 특정 사회적 공리에 어울리는 이름입니다. 그러므로 정의는 정도뿐 아니라 종류에서도 차이가 나는 다른 정서에 의해 자연스럽게 보호될 뿐 아니라 보호되어야 합니다. 이 정서는 인간의 쾌락이나 편리함을 그저 고취시키는 개념에 대한 온화한 감정과는 구별됩니다. 정의감의 명령은 훨씬 단호한 본성이 있기 때문이며 또한 도덕적인 징벌의 속성이 더 엄격하기 때문입니다.

편집후기와 편집자 해설

이 책을 기획하고 편집한 편집자들이
이 책의 뒷얘기와 〈공리주의〉를 이해하는
데 도움이 될 만한 편집자 해설을 독자 여러
분에게 전합니다.

코디정: 이야, 이 책 진짜 재밌네요. 이건 완전히 순정 100% 칸트 비판이잖아요? 어떻게 이토록 완벽하게 칸트와 다른 이야기를 할 수 있을까? 쇼킹했어요. 칸트철학을 잘 아는 독자라면, 특히 칸트의 〈도덕 형이상항의 기초〉라는 책을 읽은 독자라면 이런 제 반응에 공감하리라 생각해요.

마담쿠: 놀라운 건 설득이 된다는 거죠. 게다가 칸트보다 훨씬 쉬웠고요. 편집자로서 그런 점이 마음에 들어요. 생각보다 어렵지 않고 공감하기 쉽고 또 실용적이기까지 한 책. 아, 이것이 그 유명한 '공리주의'구나.

코디정: 맞아요. 저도 같은 느낌이었어요. 아, 이게 공리주의였구나, '공리주의'라는 표현은 밀이 처음으로 사용한 단어였구나, 벤담의 공리주의는 후대에서 붙인 거구나, 그런데 이제까지 내가 알고 있었던 건 대체 뭐였을까? 등등의 생각이 들었어요. 공리주의 하면 우리는 그저 '최대 다수의 최대 행복' 정도밖에 알지 못했어요.

마담쿠: 그러게요. (웃음) 그 얘기는 나중에 다시 하기로 하고요. 우선 이 책은 고등학교 윤리 수업부터 사회인의 교양

지식에 이르기까지 도덕을 말할 때 어째서 칸트철학과 공리주의를 함께 언급할 수밖에 없는지, 그 역사적인 맥락을 독자에게 친절하게 알려주는 것 같아요. 그런 점에서 맥락을 알고 싶은 독자에게 좋은 선물이 되지 않았을까 해요. 그런데 칸트와 밀은 시대가 다르죠?

코디정: 칸트는 18세기 말이 전성기였고, 밀은 19세기 후반에 주요 저작을 남겼지요. 장소도 다르고요. 독일과 영국의 차이랄까요.

마담쿠: 밀은 인간이 어떤 행동을 해야 하고 무엇이 올바른 행위인지 후대 인류들이 공부하고 논쟁할 때 칸트의 이야기를 들었다면 그다음엔 자기 이야기도 들어야 한다고 확실하게 전달한 것 같아요. 다소 산만하기는 했지만요. 독자를 위해 잠시 복습 시간을 가질까요? 칸트가 뭐라고 했길래 밀이 작정하고 대들었던 것인지.

코디정: 칸트는, 모든 인간은 언제나 행위의 목적이어야 한다는 점을 제외하고 도덕에서 내용을 모두 빼버렸어요. '형식'이야말로 진정한 도덕이라고 하면서 말입니다. 이런저런 행동을 해야 한다며 목소리를 높여 온 이 세상의 온갖 도

덕적인 가르침을 요샛말로 '디스'한 거죠. 쉽게 말하면, '그런 가르침이 당신한테는 도덕이 될지도 모르지만, 그렇게 생각하지 않는 사람도 있어.'라는 논리입니다. 진정한 도덕규칙은 예외 없이 누구에게나 적용될 수 있어야 하고, 그건 마치 자연법칙처럼 '법'이 돼야 한다고 주장하면서요. 내용이 뭐든 〈예외 없이 누구에게나 적용될 수 있는 규범〉이라는 형식만 남겨 놓으면, 사람들은 어떤 행동을 할 때마다 그런 형식에 맞는 '자기 좌우명'(준칙)을 떠올리면서 다른 모든 사람도 그렇게 행동할까를 스스로 따져 볼 수 있고, 그것만으로도 우리 인간을 올바르게 만들어 줄 거라고 칸트는 믿었습니다. 칸트철학의 특징은 이처럼 도덕법의 기준을 형식적으로 매우 높여 놨다는 건데요. 대체로 많은 사람이 칸트를 오해하더군요. 그렇게 보편법률 수준으로 도덕을 높이면 어떻게 도덕을 지킬 수 있겠냐, 불가능한 이야기다, 라고 말합니다. 그런데 칸트는 도덕의 수준 자체를 높이지는 않았어요. 무엇이 도덕인지를 직접 이야기하시는 분은 아니었으니까요. 그리고 도덕의 수준은 타인이 정하는 게 아니라 자기 스스로 정하는 개인의 양심의 문제로 봤던 분입니다.

바로 그 점이 칸트의 빛나는 장점이거든요. 결과적으로 도덕 운운하면서 타인을 비난하거나 공격하지 못하도록 만들었어요. 인류사에서 종교와 권력이 사회를 수호한답시고 반복적으로 행해 왔던 '도덕을 이용한 폭력'에 철학적인 종지부를 찍었거든요. 그러면서 동시에 '개인이 곧 인류'라는 철학적 상상력을 낳았으니, 많은 사람이 열광할 수밖에요.

> 마담쿠: 이렇게 요약하니까 역시 칸트 할아버지네요. 그런데 어째서 밀 아저씨는 칸트를 비판하고 반박했을까요?

코디정: 그 부분이 이 책을 이해하는 열쇠가 되겠죠. 편집자로서 되도록이면 밀의 생각을 이해하고 그의 입장이 되려고 노력했어요. 어째서 밀은 이런 식의 주장과 저런 식의 논리를 펴게 되었을까? 왜 그랬을까? 칸트의 무엇이 밀을 불만스럽게 했을까? 둘 다 선량한 이야기를 하시는 양반들이 어째서 서로 완전히 다른 이야기를 하게 됐을까? 몇 번이고 읽고 또 읽으니 어느 정도 밀의 마음을 이해하게 된 것 같아요. 우리 인류사회에서 도덕은 결국 무엇이 올바른 행위인지, 또한 바람직하고 선한 행동인지 가르치는 거잖아요? 사회가 바람직하게

나아가려면 선함과 올바름이 사회 곳곳에 퍼져나가야겠지요. 부모가 자식을 가르치고, 교사가 학생을 가르치며, 어른이 아이를 가르치면서 누구나 생각하는 도덕교육은 사실 '이런저런 내용'을 가르치는 것이지 '단순한 형식'을 가르치는 게 아닌 겁니다. 또 정치를 통해 사회를 더 선하게 만들려면 그것에 합당한 선한 여론이 있어야겠지요. 여론도 무엇에 관한 여론, 즉 내용이지 형식은 아니잖아요? 칸트처럼 내용이 아니라 형식이 중요하다고 생각하면, 어떻게 도덕교육을 할 것이며, 어떻게 선한 여론을 조성하고 퍼트릴 수 있겠는가? 이게 바로 밀의 문제의식이 아니었을까 생각합니다. 또 적어도 철학이라면 우리 인간들의 다양한 가치와 관점이 충돌할 때 우선순위를 정해주면서 어떤 행동들이 더 선하다고 직접 가르쳐줄 수 있어야 하는데, 이럴 때마다 칸트는 침묵하니까요. 밀이 생각하기에 칸트철학은 '도덕침묵론'처럼 비쳐졌을 것 같아요.

> 마담쿠: 어이쿠. 계몽주의 철학자 칸트가 사람들을 실제로 계몽하는 데에는 오히려 무력했다는 거군요.

코디정: 저승에 있는 밀이 좋아할 표현이네요.

마담쿠: 이 책에서 여러 번 나오는 표현인 '도덕의 제1원리'가 무엇인지 칸트가 침묵했으니 자신이 그것에 대해 말하겠다고 나선 거겠네요.

코디정: 그렇죠.

마담쿠: 그런 도덕의 제1원리가 바로 공리주의라는 걸까요?

코디정: 밀의 주장에 따르면요.

마담쿠: 밀의 공리주의에 대해 본격적으로 들어가기 전에 조금 다른 이야기를 해 볼까요? 가뜩이나 진지한 책에 대해 계속 진지하게만 대화하면 숨 막히니까요. 밀 아저씨 뒷조사는 어떻게 됐어요?

코디정: 뒷조사라뇨 (웃음). 몇 가지 알아본 거죠. 사람들이 관심을 가질 만한 세 가지. 성장과 직업과 여자.

마담쿠: 오호.

코디정: 좀 길어질 수도 있어요.

마담쿠: 너무 길면 자를 게요.

코디정: 존 스튜어트 밀은 금수저는 아니었던 것 같지만 최소한 은수저는 됐을 거예요. 스코틀랜드 출신으로 런던에 정착한 부친 제임스 밀(1773~1836)이 일단 유명한 저술가이자 사상가였거든요.

당대 최고의 지성이 들락거리는 집안의 장남으로 태어나고 자랐는데, 여기서 포인트는 공교육을 받지 않았다는 점. 우리랑은 DNA가 달랐을 거예요. 세 살 때부터 그리스어를 배우고 여덟 살 때부터는 라틴어 고전을 두루 읽더니, 스무 살도 되기 전에 4권의 저술을 발표했을 정도니까요. 아마도 공교육은 필요 없었겠지요. 아버지가 집에서 가르쳤대요. 바깥세상에서 나쁜 영향을 받지 않도록 아주 엄격하게 키웠다는데, 아마 과외도 많이 받지 않았을까요? 밀은 당대 최고의 영국 지성 중의 한 명이자 자신의 아버지와도 특수 관계였던 제레미 벤담 할아버지와 자주 만나 대화했다고 합니다. 아마도 벤담의 사상이 밀에게 깊이 영향을 주지 않았을까요? 그렇게 천재적이었던 밀은 우리나라로 치면 SKY, 소위 말해 옥스퍼드나 캠브리지 같은 대학은 껌이었을 테죠. 하지만 흥미롭게도 그는 대학 진학을 포기하고 아버지가 다니는 회사에 취직합니다. 17살에 직장인이 된 거죠. 영국을 대표하는 대학에 진학하려면 영국국교도가 돼야 하는데, 자신이 스코틀랜드 핏줄이어서 그랬는지 아니면 종교 선택에 관한 자기만의 원칙 때문인지는 모르겠지만 그게 싫었다고 해요. 유명한 학자의 강의를 들으러 UCL 대학에 청강하는 정도였대요.

마담쿠: (팔짱을 끼며) 천재 직장인이라…

코디정: 제가 밀의 뒷조사를 하다가 알게 된 재미있는 역사가 있습니다. 밀은 17세부터 영국 동인도회사에서 35년간 근무합니다. 학문분야의 천재가 식민지 무역으로 돈벌이를? 동인도회사가 어떤 회사인지 갑자기 궁금해졌죠.

마담쿠: 동인도 회사는 세계사 공부할 때 몇 번 들었는데 말이죠.

코디정: 맞아요. 저는 동인도 회사는 단순히 식민지에 있는 민간 무역회사라고 생각했거든요. 그런데 영국 여왕의 위임을 받은 식민지 통치기구였더군요. 한마디로 행정기관이었습니다. 그러니 아버지인 제임스 밀도, 그 아들 존 스튜어트 밀도 행정기관의 공무원이었던 셈이지요. 규모가 굉장히 컸을 테고, 아마도 밀은 거기서 무슨 연구부서에서 일하지 않았을까요? 동인도 회사는 나중에 해체돼서 영국정부에 흡수됐고, 그런 다음 영국의 빅토리아 여왕이 인도제국의 황제로 즉위하면서 인도를 직접 통치했다고 합니다.

마담쿠: 몰랐던 사실이라 흥미롭네요. 세계사만큼 흥미로운 개인적인 역사는 없나요? 연애사라던지…

코디정: (웃음) 밀은 순정파였어요. 인터넷 검색하면 그의 연애사를 얻을 수 있죠. 노총각과 미망인의 사랑이었는데 아무리 생각해 봐도 아름답고 멋진 관계였던 것 같아요. 1858년 부인 해리어트 테일러 밀이 프랑스 아비뇽에서 여행 중에 병사해요. 밀은 그 후 영국에서 국회의원으로도 활동했고 이 책을 포함해서 여러 책을 저술했습니다. 그러다가 생을 마감할 시기가 되자 부인이 먼저 잠들어 있는 아비뇽에 가서 영원한 평화를 얻지요. 그해가 1873년이었고, 그들의 무덤은 지금도 함께 있대요.

마담쿠: 멋지네요. 결혼생활은 7년에 불과했지만 교제는 27년이었고, 그래서 밀의 사상에 부인이 미친 영향이 매우 컸을 거라는 얘기도 있더군요. 특히 최초로 여성의 투표권을 주장한 영국 국회의원이며, 여성의 인권을 강조하고, 노예제에 반대한 지식인. 자유를 옹호하고 진보적이며 심성이 선량한 사람. 밀 아저씨는 대략 이런 사람이었던 것 같아요.

코디정: 네. 매우 진보적인 사상가였으
며 인류의 미래를 낙관했던 사람 같아
요.

마담쿠: 맞아요. 밀의 인류 사회에 대한
낙관과 진보적인 믿음은 이 책 곳곳에
묻어 있지요. 예를 들어 2장에서 "인간
이 겪는 고통의 주요 원인은 다양하며,
그중 상당수는 인간의 노력과 관심으로
거의 완전히 극복할 수 있다"와 같은.

코디정: 밀이 어딘가에서 이런 말도 남
겼대요. "보수파들이 꼭 멍청한 것은 아
니지만, 멍청한 사람들 대부분은 보수파
들이다."

마담쿠: (외면) 보수파 독자들이 싫어합
니다.

코디정: (난감) 죄송합니다. 그래도 밀
은 그런 사람이었다는 말씀. 아, 그런데
고전의 풍요로운 지혜만이 아니라 밀의
따뜻한 마음까지 잘 표현한 번역가이신
정미화 선생에게 고맙다는 말을 하고 싶
어요.

마담쿠: (짝짝) 그럼요. 번역가가 없다
면 우리 같은 편집자도 있을 수 없죠. 공
생관계! (웃음) 그런데 우리는 이 책을
원작의 번역어인 〈공리주의〉가 아니라

〈타인의 행복〉으로 변경해서 출간한 적이 있어요. 독자에게 좋은 제목을 전하기 위해서 여러 번 방황한 끝에 그런 선택을 했는데 과연 우리 판단이 옳았을까요? 우리는 몇 년이 지나 지금 리커버하면서 원제인 〈공리주의〉로 제목을 바꿔서 새롭게 초판을 펴냈습니다. 이 사연을 독자들에게 설명하는 게 좋겠어요.

코디정: 네. 〈타인의 행복〉 판에서는 '행복'이라는 공리주의의 핵심 메시지를 전하면서도 그게 이기적인 행복이 아니라 도덕 이론답게 '타인'을 생각하는 넉넉한 마음까지 제목에 포함될 수 있어서 너무 좋았어요. 하지만 우리가 간과했던 게 있었지요. 우리 책이 제대로 검색되지 않는다는 거예요. 수십 년 전 구글 등장 이후로 인터넷 검색 기술이 눈부시게 발전했습니다. 사용자가 입력한 검색어뿐만 아니라 그녀가 어떤 결과를 원하는지 추정해서 유사 단어나 연관 단어로도 검색한 결과를 보여줍니다. 검색 기술은 네트워크 어딘가에 있는 보석을 찾아주는 수준까지 발전했어요. 그런데 서점은 책 제목, 저자 (번역자) 이름, 출판사 이렇게 세 가지 필드에서 '단어 일치 검색'만 지원하더라고요. 이런 수준이라는 것을 전혀 상상하지 못했습니다. 결과적으

로 '공리주의'라는 단어로 서점에서 검색하면 〈타인의 행복〉 판이 잘 검색되지 않습니다. 우리 의도와 달리 '아는 사람만 아는 책'이 돼버린 것이지요. 이걸 수정하고자 부제로 '공리주의'를 넣어달라고 서점에 요구했더니 어떤 서점은 받아들이고 또 어떤 서점은 안 된다고 했어요.

마담쿠: 갑자기 불행해진 기분이 들더라고요. 〈공리주의〉 책을 읽고 싶은 독자가 이 훌륭한 번역본을 읽지 못하다니, 슬펐어요. 그렇지만 아주 큰 교훈을 얻었어요. 출판사는 무엇보다 그 책의 '진짜 독자'를 우선 생각해야 한다는 점을요. '진짜 독자'라고 표현하니 좀 어색하기는 합니다만, 어쨌든 그 책을 찾으려는 사람이 쉽게 찾을 수 있도록 제목을 정해야 한다는 것을요. 아무쪼록 '공리주의'라는 단어로 검색하면 이 책이 검색결과 목록 중에서 위쪽에 나오기를 바랍니다. 우리는 다시 시작합니다.

코디정: 네. 이 판본으로 다시 시작하지요. (웃음)

마담쿠: 많은 사람들이 '공리주의'라는 단어를 듣고 떠올리는 건 '최대다수의 최대행복'이라는 슬로건 정도지요. 어쩌

지 좀 건조하고 딱딱한 느낌의 메시지예요. '타인의 행복'으로 메시지가 전해진다면 더 따뜻한 느낌이 들겠지요? 적어도 공리주의가 타인의 행복을 중요하게 생각하는 사상이라는 점을 전할 수 있으니까요. '공리주의'를 한 단어로 요약한다면 당연히 '행복'이 될 텐데요. 행복이야말로 도덕의 원리라는 게 밀의 생각이고, '아니야 그건 절대 그렇지 않아. 행복은 도덕과 상관없어.'라는 게 칸트의 생각이잖아요? 제가 표로 한번 만들어 봤답니다. 칸트와 밀의 생각의 차이를요.

코디정: (웃음) 마담쿠는 친절하네요.

마담쿠: (웃음) 독자들에게 점수 좀 따려고요. (학생독자에게 특히 이롭겠지요? 하지만 이런 정리를 싫어하는 독자에게는 죄송한 마음)

칸트	밀
도덕은 형식이다	도덕은 내용이다
도덕이란 자연법칙처럼 누구에게나 적용될 수 있는 규범이어야 한다	여러 도덕이 존재할 수 있고, 상황에 따라 변할 수도 있다
경험을 넣고는 도덕을 말할 수 없다	경험을 빼고는 도덕을 말할 수 없다
결과가 아니라, 선한 의지가 명하는 의무에서 비롯된 행위인지 여부가 도덕을 결정한다	어떤 의지와 의무를 갖고 행동했건 그 결과가 선한 행동이라면 도덕적으로 선하다

감정은 도덕규범과 무관하다	도덕은 실제로 도덕감정이다
사람은 누구나 행복을 추구하므로 그게 도덕을 정해주지는 못한다. 오히려 행복을 도덕적으로 가치 있게 하는 조건이 필요하고 그게 바로 선한 의지이다	공리주의는 행복이론이며, 최대 행복을 추구하는 것이 곧 도덕이다. 타인의 행복을 포함한 인류 전체의 행복을 생각해야 하며, 그것은 쾌락의 증진과 고통의 감소를 뜻한다
"원수를 사랑하라"라는 예수의 가르침이야말로 도덕의 핵심이 들어 있다	"남에게 대접받고자 하는 대로 너희도 남을 대접하라"라는 예수의 황금률이야말로 완벽한 도덕적 이상이다
스토아학파의 전통	에피쿠로스학파의 계승

코디정: 이렇게 깔끔하게 정리해버리니 더는 대화가 필요 없을 것 같다는?

마담쿠: 그래도 우리는 아직 책 안으로 들어가지는 않았잖아요. 여기서 멈추면 안 되죠. 자, 이제 준비 운동은 충분히 했으니 이 책에 대해 이야기를 해 보죠.

코디정: 지금이야 철학이 사회에 미치는 영향력이 크진 않지만, 당시만 해도 사회에 미치는 영향력이 상당했던 것 같아요. 칸트철학의 위세도 컸을 거고요. 어떻게 하면 효과적으로 칸트를 비판하고 행복론의 권위를 세울 것인가, 밀은 가장 좋은 방법을 여러모로 고민했겠죠. 특히 '흥행'을 생각했을 겁니다. 단순히

칸트의 도덕철학을 비판하면서 행복론을 내세우는 방법만으로는 그다지 성공을 못했을 거예요. 철학이란 웬만해선 재미가 없으니까요. 그래서 밀이 생각해낸 프레임이 바로 이겁니다.

마담쿠: 뭐죠?

코디정: 무협지!

마담쿠: 네?

코디정: 모름지기 싸움 구경은 재미있잖아요? 정파와 사파 사이에서 2천 년이 넘게 이어진 용호상박의 싸움이 있다고 생각하는 거예요. 누가 정파고 누가 사파인지는 중요하지 않아요. 그냥 그런 길고 큰 싸움이 중요한 거니까. 한쪽은 스토아학파입니다. 다른 한쪽은 에피쿠로스학파이고요. 칸트는 스토아학파에 속하고 밀은 에피쿠로스학파에 속합니다. (이쯤에서 스마트폰으로 스토아와 에피쿠로스를 검색하는 독자가 있다면 좋겠습니다.) 밀은 저 '고결한' 스토아학파의 에피쿠로스학파에 대한 핍박을 소개하면서, 독자들에게 정당한 재판을 요구하는 것이지요. 누가 과연 참된 주장을 하고 있는지 말입니다. 밀은 이 책을 통해 에피쿠로스학파를 변호합니다. 칸트라는 거물을 혼자 상대하는 게 아니라

'진영 대 진영'의 논리로 상대하겠다는 것이죠. 독자들은 배심원이 되는 거고요.

마담쿠: 자, 우리들 '배심원'은 이제 이 책을 열었습니다. 1장입니다.

코디정: 1장은 칸트의 도덕철학을 비판하면서 독자에게 긴장감을 던지는 장이지요. 도덕의 제1원리는 '내용'에 관한 원리여야 한다고 생각하는 밀은, 무엇이 도덕인지, 그 가르침을 분명히 하지 못했기 때문에 도덕이 '인간의 실제 감정을 정화하는 역할'을 하지 못하게 됐으며, '인류의 도덕적 신념'이 손상될 염려가 있음을 피력해요.

마담쿠: 1장은 뭐랄까요. '아, 철학책이구나'라는 인상을 줍니다. '어렵겠구나'라는 느낌이에요. 독자가 1장을 읽은 다음에 독서를 포기할까 봐 걱정스러웠어요. 문턱만 넘어서면 되는데, 그 문턱이 만만치 않네요. 칸트를 전혀 모르는 독자라면 어렵게 느껴질 것 같아요. 밀을 읽으려고 했는데 1장부터 칸트가 나오니까요.

코디정: 그래요. 저도 1장이 걱정이에요. 사전 지식이 필요한 이야기를 하니까요. 책을 읽는 것이 유일한 취미였던 시대

에서는 통했을지 몰라도 지금 시대는 그
정도로 고전을 읽는 여유가 없지요. (다
른 재미있는 취미가 너무 많잖아요.) 평
범한 독자에게 '사전 지식'을 요구할 수
는 없습니다. 지금 시대의 독자라면 차
라리 2장부터 읽는 게 좋을지도 모르겠
어요. 하지만 끈기 있고 기억력 좋은 독
자라면 1장의 재미를 나중에라도 알 수
있을 거예요. 저도 그랬거든요. 몇 번을
읽으니까 1장에 들어 있는 밀의 속셈을
눈치챌 수 있었어요. 좀 얍삽합니다. 정
통에 관한 이야기를 은근 흘리거든요.
스토아학파와 에피쿠로스학파가 등장
하기 이전, 서양철학의 가장 위대한 스
승인 소크라테스가 '공리주의자'였음을
밀은 아무 근거 없이 그냥 선언합니다.
이 말은 공리주의를 추구하는 에피쿠로
스학파가 정통이며, 스토아학파는 이단
이라는 분위기를 풍기지요. 2장에서 본
격적으로 스토아학파를 논박하고 에피
쿠로스학파의 쾌락주의를 변호하기 위
한 사전 포석으로 '소크라테스는 공리주
의자'임을 선언한 건데, 이런 태도 유치
하긴 하지만… 솔직히 좀 귀여운 구석이
있습니다.

> 마담쿠: 슬기롭고 진지한 밀 아저씨를
> 그렇게 표현하다니. 그런데 소크라테스

는 정말 공리주의자였을까요?

코디정: 설마요. 밀한테만 공리주의자였 겠죠. 주위 플라톤 철학을 전공한 사람 한테 물어보면 (소크라테스는 주로 플라 톤의 저작에서 등장하니까요) 그렇게 말 하지 않을 것 같은데….

마담쿠: 흠. (생각) 공리주의란 무엇인 가. 2장의 내용이지요?

코디정: 맞아요. 이 책의 핵심이죠. 밀이 자기한테 유리하게 싸움을 이끌기 위해 소크라테스를 이용했다는 점, 그걸 1장 에서 기억해 두면, 2장이 반갑습니다. 2 장에서 결정적으로 다시 써먹거든요. 소 크라테스를.

마담쿠: '배부른 돼지' 이야기를 할 때 다시 등장하십니다.

코디정: 네. 이 책의 문장 중에서 가장 유명한 표현이죠.

마담쿠: "배부른 돼지보다는 궁핍한 인 간이 낫고, 만족해하는 멍청이보다는 못 마땅해하는 소크라테스가 되는 게 낫다. 만약 그 바보가, 혹은 그 돼지가 다른 의 견을 갖는다면 그건 문제를 자기 쪽에서 만 생각하기 때문이다. 그러나 소크라테 스는, 혹은 인간은 문제를 두루 생각한

다"라는 문장인데요. 이게 은근 소크라테스가 에피쿠로스학파 편을 든다는 의미?

코디정: 그게 밀의 의도라고 생각해요. 2장에서 밀은 도덕논쟁을 칸트와 밀의 논쟁이 아니라, 스토아학파 대 에피쿠로스 학파 사이의 도덕 논쟁으로 확대합니다. 냉정하게 읽으면 좀 설득되는 부분이 많았어요. 그냥 행복이라고 하면 가볍게 보이기는 하는데, 공리란 최대 행복의 원리를 뜻하고, '행복이란 고통의 부재와 쾌락을 의미하고, 불행은 쾌락의 결핍과 고통을 의미한다'는 밀의 이야기를 듣고 있노라면 매우 그럴싸하지 않나요? '공리라는 말은 쾌락과 상반되는 것이 아니라 고통으로부터 벗어나는 것을 포함하여 쾌락 그 자체를 의미'한다고 설명하고, '돼지철학'이라고 비난을 받은 에피쿠로스학파에 대한 부당한 비난을 적극적으로 방어하면서 '쾌락주의'를 옹호합니다. 그러면서 질적인 쾌락과 정신적인 쾌락의 우월성을 강조하는데, 상당히 실리적이고 현실적인 이야기라는 느낌을 받았어요..

마담쿠: 맞아요. 밀은 상당히 실리적이고 현실적이어서 이해하기 쉽고 또 설득당하는 기분이 들었어요.

코디정: 게다가 밀은 '공리주의의 행복은 행위자 자신의 행복이 아니라 관련된 모든 사람의 행복'이며, '공리주의의 기준은 행위자 자신의 최대 행복이 아니라 모든 사람의 행복을 합친 총량'임을 강조합니다. 자기 행복 추구뿐 아니라 불행을 방지하거나 완화하고 고통을 극복하기 위해서는 이기심에서 벗어나 자기 주변에 대한 관심을 가져야 한다고 주장하면서, 스토아학파의 비난을 무력화시킵니다. 하지만 2장은 읽기 매우 불편한 텍스트라는 생각이 들었어요. 두 번 이상 읽어야 정리되더라고요. 그냥 자기 이야기를 하면 될 것을, 공리주의에 대해서 이런저런 오해가 있다면서 그걸 또 하나하나 다루니까 아주 산만해요.

마담쿠: (웃음) 제가 그래서 또 정리해 봤지요. 밀이 2장에서 다루는 공리주의에 대한 오해와 비난들은 대체로 다음과 같은 정리해 볼 수 있습니다. ①행복은 달성될 수 없으며, 행복해지지 위해 어떤 권리가 필요한 것도 아니므로, 행복이 인간의 삶과 행동의 합리적인 목적이 될 수는 없다는 반론. ②삶의 목적으로 행복을 받아들이라고 교육한다면 과연 절제하는 행복에 만족이나 할까? ③공리주의의 기준은 우리 인류에게 지나치

게 높다. ④공리주의는 행위의 결과만을 무미건조하게 고려해서 인간을 냉정하고 매몰차게 만든다. ⑤공리주의는 무신론이다. ⑥공리는 편의주의다. ⑦행동하기 전에 일일이 그 행동을 공리로 판단할 시간이 없다. ⑧공리를 도덕의 기준으로 인정하더라도, 그 공리를 합의하지는 못하고, 그러므로 공리를 교육하거나 여론을 형성하지도 못할 것이다. ⑨인간 본성이 허약해서 공리를 자기 마음대로 유리하게 사용한다. 그리고 이런 오해에 대해서 밀은 일일이 반박하고 설득하지요.

코디정: 독자를 위해 이 산만하고 복잡하지만 2장을 한 문장으로 요약해 주신다면?

마담쿠: 글쎄요. (생각) 공리주의는 타인의 행복까지 포함한 행복을 기준으로 해서 행위의 도덕성을 판단한다? 더 이상 뭔가 바라지 마세요. 여기가 한계예요!

코디정 (웃음) 3장으로 가지요. 영어 단어로는 'sanction'입니다.

마담쿠: 다른 책에서는 '제재'로 번역한 단어인데요.

코디정: 하지만 '제재'로 번역하면 뉘앙스가 살지 않습니다. '벌칙'으로 번역한 건 잘한 일 같아요. 도덕규범을 지키면 포상(칭찬)하고, 어기면 처벌해야겠지요. 그게 바로 'sanction'인데, 실제 법률에서 '벌칙'이라는 명칭을 사용하거든요. 3장에서 밀은 도덕법에서 개인의 '도덕 감정'을 고려하지 않는 칸트 철학을 다시 비판합니다. 사회 감정까지 포함한 도덕 감정이 매우 중요한 역할을 한다는 점을 강조하지요. 공리주의 도덕법이 규정하는 벌칙은 외부 벌칙과 내부 벌칙이 있는데, 외부 벌칙은 그 사람에게 강제로 가해지는 벌칙으로 이해될 수 있고, 이것은 종교, 제도, 문화, 여론 등을 통해 개인의 행위를 규제하는 벌칙이에요. 이러한 외부 벌칙은 우리 마음 바깥에 있는 벌칙이지만, 우리 마음속에도 벌칙이 있고 그게 바로 내부 벌칙이라는 이야기를 합니다. 우리 마음속에서 '의무 감정'을 불러오며 우리에게 올바른 행위를 하라고 강제하는 이러한 내부 벌칙은 곧 양심을 뜻합니다. 즉, 잘못된 행위를 했을 때 사람들은 마음의 고통이라는 벌을 받는다는 이야기인데, 그것의 정체는 바로 '도덕 감정'이라고 밀은 주장합니다. 감정을 경시하는 칸트철학을 다시 한번

디스하는 부분이지요.

마담쿠: 저는 밀 아저씨의 '도덕 그물망'
이라는 표현이 아주 재미있었어요. 우리
사회가 도덕적이 되어야 한다는 강한 열
망이랄까 그런 게 느껴지던데… 예를 들
어 이런 문장, "사람은 관심과 공감이라
는 가장 강력한 동기에 자극을 받아서
도덕 감정을 표출하게 되겠고, 있는 힘
을 다해 다른 사람들도 이 감정을 갖도
록 독려할 것이다. 설령 자신에게는 이
런 감정이 없다고 해도 다른 사람들은
갖고 있어야 한다며 누구보다 큰 관심을
갖는다. 결과적으로 아주 작은 감정의
싹이라도 공감이 확산되고 교육의 영향
에 힘입어 보호받고 자라나며, 외부 징
벌이라는 강력한 요인으로 감정을 둘러
싸고 강화시키면서 완벽하게 짜인 도덕
그물망이 만들어진다." 그러니까 밀 아
저씨도 칸트 못지않게 도덕의 중요성을
말하고 싶었던 것 같아요. 칸트는 '이성'
으로 자기 얘기를 한 거고, 밀 아저씨는
'감정'으로 이야기를 한 것이고.

코디정: 그게 이 두 사람의 큰 차이죠.

마담쿠: 이제 4장입니다.

코디정: 4장은 스토아학파가 가장 중요
하게 여겼던 'virtue'에 대해 다룹니다.

마담쿠: 보통 '덕'으로 번역되는 단어인데, 우리는 {덕행, 덕}으로 번역했는데요. 선함good과 무슨 차이가 있는 걸까요?

코디정: 사실 저도 잘 모르겠어요. 알 듯 말 듯 헷갈려요. 워낙에 다양한 철학자들이 'virtue'의 개념에 대해 이런저런 이야기를 하니까, 뭐라고 딱히 말하기 어려운 개념 같아요. 올바른 것을 행하고 잘못된 것을 멀리하는 행동이나 마음가짐을 뜻하는 정도가 아닐까요? 고대부터 지혜, 용기, 절제, 정의가 그런 덕목이었습니다만, 어쨌든 분명한 건 스토아학파 사람들이 매우 중요하게 생각한 가치가 바로 덕행입니다.

마담쿠: 아하, 그럼 4장도 결국 스토아학파를 비판하는 거겠군요.

코디정: 네. 그렇게 생각해요. 스토아학파가 중요하게 생각했던 그 덕도 결국은 쾌락을 목적으로 하는 수단이라는 것이고, 이를 통해 스토아학파의 최고 가치를 '쾌락'이라는 에피쿠로스학파의 최고 가치 밑에 둡니다. 이런 게 정말 이 책의 묘미지요.

마담쿠: (웃음) 게다가 설득력도 있다는 거. 추상적인 이야기를 하는 게 아니라 우리네 인생에서 누구나 생각할 수 있는

구체적인 이야기, 금전욕이니 명예욕이
니 하는 것도 어쩜 그렇게 정확하게 이
야기하는지요?

코디정: 5장은 더 설득력이 있죠.

마담쿠: 정의란 무엇인가?

코디정: 행복론으로 도덕 이야기를 하
다가 드디어 정의까지 왔습니다. 어쨌든
이 책에서 풀어내는 정의 이야기는 상당
히 재미있었어요. 아, 이렇게 다양하게
생각할 수 있구나, 그래 정의라는 게 그
리 간단치만은 않지, 그런데 밀 아저씨
는 정말 어렵지 않게 남을 설득하는 재
주가 있구나 등등. 5장만 읽어도 존 스튜
어트 밀은 인류의 스승임을 알겠다는 생
각이 들더군요. 임마누엘 칸트와는 전혀
다른 견해를 밝힙니다만.

마담쿠: 저도 교양 좀 얻었습니다. 칸트
할아버지는 그분의 이야기를 이해하느
라 정신이 없었는데, 밀 아저씨는 설득
당하느라 정신이 없다는 느낌? 밀 아저
씨가 제시한 다섯 가지 사례, ①한 사람
의 개인적인 자유나 재산을 빼앗는 사
례, ②잘못된 법에 의해 부당하게 귀속
된 권리에 관한 사례, ③인과응보에 관
한 사례, ④신뢰를 저버리는 일에 관한
사례, ⑤편파성이 문제되는 사례를 제시

했는데, 이 다섯 가지 사례를 읽으면서 계속 끄덕였어요. 상식적인 이야기를 하는데 그 상식이 깊어졌다고나 할까… 이 다섯 가지 중에 뭐가 제일 인상적이었나요?

코디정: 글쎄요. 5번? 우리는 '공평함'을 매우 당연하고도 중요한 가치라고 생각하잖아요? 마치 정의처럼 생각합니다. 그런데 밀은 그게 꼭 그렇지 않다고 말합니다. "다른 의무를 위반하는 것도 아니고 자기가 할 수 있는데도 자신의 가족이나 친구에게 모르는 사람보다 더 좋은 지위를 주지 않은 사람은 칭찬보다 비난을 받을 가능성이 더 크다. 친구나 친척 혹은 동료로서 누군가를 다른 사람보다 선호한다고 해서 정의롭지 못하다고 생각할 사람은 없다."라고 태연하게 말하는데, 내가 그동안 '공평함'을 맹목적으로 생각한 게 아닌가 하는 생각이 들었어요. 사회생활하다가 우리는 '부탁'과 관련되는 일을 흔히 겪잖아요? 대체로 친한 사람한테서 부탁을 받습니다. 누구한테 아무런 피해를 주는 것도 아닌데 뭔가 공평하지 않다는 생각에 주저함이 생기기도 하고 그때마다 죄책감을 느낍니다. 반대로 우리는 친한 사람한테 뭔가를 부탁합니다. 그게 누군가에게 피

해를 주는 것도 아니고 공평함을 흔들지
도 않는데 부탁을 거절받으면 모욕감을
느끼고요. 그런 죄책감과 모욕감이 어디
에서 비롯된 것일까, 밀의 생각에 따르
면 그런 감정은 결국 정의감과 관련된다
는 것이었구나 하고 느끼는 거죠.

> 마담쿠: 저는 3번요. "어떤 사람이 선을
> 행한 상대방으로부터는 선을 보상받고,
> 악을 행한 상대방으로부터는 악을 보상
> 받아야 한다는 것이다. 악을 선으로 갚
> 으라는 계율이 정의 실현의 사례로 여겨
> 진 적은 결코 없다."는 생각이 날카롭게
> 들렸어요.

코디정: "선은 선으로 갚고 악은 악으로
갚는다."라는 밀의 단호한 표현이 여러
번 나왔죠.

> 마담쿠: 권선징악.

코디정: (웃음) 밀의 '정의론'을 이해하
는 데 아주 좋은 단어네요.

> 마담쿠: 5장에서는 그 밖에도 악법에 대
> 한 여러 태도, 능력 있는 사람에 대한 대
> 가 배분의 문제, 세금에 대한 다양한 의
> 견 등 여러 사례가 더해집니다. 그런 사
> 례들이 150년이 지난 지금에도 여전히
> 울림이 있다는 것. 그런데 5장이 제일 분

량이 많고, 또 생각보다 논점이 많아서 학자도 아닌 우리 편집자들이 다룰 만한 주제는 아닌 것 같다는 생각도 들었어요. 학자가 다루거나 (지금까지도 많이 다뤄 왔겠지만요) 독자에게 맡기는 게 낫지 않을까요?

코디정: 동의. 우린 지금 아주 위태로워요. 이쪽으로 조금만 더 가면 학자들의 영역을 함부로 침범하고 저쪽으로 방향을 틀면 주제넘게 독자의 독서를 방해할 수 있으니까요.

마담쿠: 그런데 밀은 5장에서 대체 뭘 말하려고 했던 걸까요?

코디정: 솔직히 잘은 모르겠더라고요. 헷갈렸어요. 공리의 원리, 즉 행복론은 언제나 변하지 않는 내재적인 속성이 아니라 상황 혹은 사람에 따라 변하는 성격이 있습니다. 반면 당시에는 (지금도 그럴 것 같지만) 정의에 대한 믿음이 강했던 것 같아요. 그리고 모름지기 정의란 변화하지 않으며 절대적인 것이라고 여겼던 것 같아요. 지금도 정의라는 개념에는 변화하지 않는 가치가 있는 듯하잖아요? 5장은 공리의 변화가 정의의 불변을 위협한다는 주장에 대한 반론으로 여겨졌어요. 그러니까 '최대 행복을 주

장하는 건 정의를 위협할 수 있다'는 주장을 작정하고 반박한 거죠. "무엇이 사회에 유용한가라는 문제만큼이나 무엇이 정의로운가의 문제를 두고 논란도 많고 엄청난 견해 차이가 있다. 정의의 개념은 나라와 개인마다 달라질 뿐 아니라 한 개인의 마음속에서도 달라진다."라면서요. 그러니까 상황에 따라 저마다의 정의 개념을 좀 정리해 주고 우선순위도 정해 주고 할 기본 원리가 필요하지 않겠냐며, 그게 바로 공리주의라는 것이죠. 게다가 더 재미있는 것은…

> 마담쿠: (팔짱) 우리 지금 위태롭다면서요?

코디정: (웃음) 아, 그렇지. 딱 한 가지만 더 이야기하고 멈추겠습니다. 밀은 일관되게 '도덕 감정'을 강조했는데 5장 정의 파트에서는 다시 일관되게 '정의 감정'을 강조하더군요. "정의의 개념은 행동 규칙과 그 규칙에 구속력을 부여하는 감정, 이 두 가지를 전제로 한다."라고 말하면서 정의감을 줄곧 강조합니다. 정말 저는 감탄했어요. 그 일관성에 대해 말이죠.

> 마담쿠: 펜을 갖고 책을 읽는 독자라면 어쨌든 이 책은 밑줄을 부르는 문장이

많았어요. 저희는 구어번역을 기획하면서 저자인 '밀 아저씨'의 목소리를 이 책에 담고 싶었어요. 상당히 현실적인 조언을 하면서도 지적이며 단호한 목소리 말이지요. 코디정은 특히 어떤 부분에 신경을 썼나요?

코디정: 독자에게 그런 목소리가 들린다면 편집자로서 무척이나 행복해질 것 같아요. 저는 '주석'에 애정을 좀 쏟았어요. 철학을 다루는 책에서 주석이 너무 없으면 독자는 책 속에서 방황합니다. 그렇다고 쓸데없이 주석이 많으면 잡음이 생기고 저자의 목소리를 집중해서 듣는 데 방해가 되거든요. 그래서 이 주석 작업이 어렵습니다. 번역가의 작업에 더해서 편집자도 독자의 관점으로 적절하게 주석을 붙이되, '주석을 읽는 색다른 즐거움'을 독자에게 선물하고 싶었어요. 그게 잘 됐는지는 모르겠습니다만.

마담쿠: 마음에 드는 주석이 있다면?

코디정: 에피쿠로스를 소개하는 주석이었는데, 이 책의 인물 소개 주석 중에서 가장 중요한 주석이잖아요?

마담쿠: 하긴 이 책은 밀이 에피쿠로스의 후계자임을 자청하면서 쾌락주의를 옹호하는 책이기도 하니까요.

코디정: 네. 짧은 주석 마지막에 붙은, "방랑자여, 여기는 그대가 머물 좋은 곳. 이곳에서는 즐거움이 우리의 가장 높은 선이라오."라는 문구가 정말 마음에 들어요. 독자에게 주는 유용함만을 따지자면 당시 300파운드를 현재 '원'으로 환산한 주석이 좋습니다. 옛날 문헌에서 돈 이야기가 나오면 그게 오늘날의 화폐가치로 어느 정도인지 궁금하잖아요. 그 주석이 해결책을 제공합니다. 이 책을 읽는 독자만의 특권이랄까요.

마담쿠: 특권이라… 출판사의 이런 마음을 독자들이 알아줄까요?

코디정: 우리 마음이 언젠가는 전해지겠죠. 시간이 걸리겠지만.

마담쿠: (생각) 그런데 말예요. 이 책은 결국 칸트 비판이잖아요. 비판은 성공한 걸까요? 저승에서 칸트 할아버지가 이 책을 읽었다고 가정할 때, 밀 아저씨에게 뭐라고 답할까요? 기분 나빠하며 싸울까요?

코디정: 글쎄요. 칸트 할아버지는 심각하게 다툴 것 같지 않아요. 간단하게 답할 것 같은데….

마담쿠: 그렇죠? 두 사람 모두 결국은 선

량한 얘기를 하고 있고 '인류애'를 말하
는 거니까요.

코디정: 칸트의 경우에는 학문의 분류
와 체계를 매우 중요하게 생각하잖아요.
도덕에 관해서는 두 가지 학문으로 나
눌 수 있는데, 경험을 넘어선 "도덕 형이
상학"과 경험을 다루는 "실천인간학"이
있다고요. 그런데 칸트는 경험의 영향
을 받지 않는 도덕 분야를 탐구한 것이
지만, 밀은 경험 세계를 탐구한 것으로
이해하지 않을까 생각해요. 칸트의 기본
적인 관점에서는 두 가지 학문을 아무렇
게나 뒤섞을 수는 없으니까 '나는 내 이
야기를 한 것이고 당신은 당신 이야기를
한 것'이라고 쿨하게 넘어갈 것 같아요.
하지만 여전히 칸트는 도덕의 최고계율
은 형식(이성법칙)에 있지 내용(경험)
에 있지 않다고 밑줄 그으면서 말할 것
같네요.

마담쿠: 그렇다면 밀의 기획은 실패한
걸까요?

코디정: 설마요. 후대 사람들이 도덕철
학을 말할 때, 칸트와 공리주의가 한 쌍
이 돼서 (서로 상반되는 학설로) 공부하
게 됐다는 것만으로도 크성공적인 기획
일 텐데요. 엄청난 거물을 치밀하게 비

판해 냄으로써 스스로 거물이 됐으니까
요. 덕분에 도덕철학이 풍요로워지기도
했고요.

> 마담쿠: 하긴 그래요. 칸트를 읽고 깊어
> 졌다면 밀을 읽고 넓어진 기분이 들어
> 요. 확실히 번지수가 달랐지만 풍요로워
> 졌어요. 이것이 고전을 읽는 특권이구
> 나, 하는 생각을 합니다.

코디정: 칸트를 읽고 밀을 읽으면 (그게
시대순에 맞습니다만) 분명하게도 '칸트
비판'을 느끼지만, 거꾸로 이 책을 읽고
칸트를 다시 읽으면 (실제로 밀의 편집
을 끝내고 칸트를 다시 읽어 봤습니다)
정말 놀랄 정도로 정확한 '공리주의 비
판'이 됩니다. 그러니까 칸트와 공리주
의가 한 쌍이 된 게 아닐까 생각해요.

> 마담쿠: 재미있네요. 이쯤에서 다시 칸
> 트를 읽어봐야 하는 건가요?

코디정: (웃음) 칸트는 18세기 사람이
고, 밀은 19세기 사람입니다. 그 시대에
우리 인류는 정신적으로 엄청난 진화를
이룩했지요. 그 증거를 독자와 함께 나
누고 싶어요. 앞으로도 계속요.

> 마담쿠: 네. 우리가 지치지 않고 책의 수
> 명을 생각하면서 계속 작업을 하려면 독

자 님들의 많은 응원이 필요합니다. 많
은 응원 부탁드립니다. 수고하셨어요.

코디정: 수고하셨어요. 끝까지 읽어주신
독자 여러분에게도 감사하는 마음을 전
합니다. 감사합니다.